COLLECTION GRANGER UNIVERS

# LE CORPS HUMAIN

Janet Noel

ÉDITIONS GAMMA   ●   GRANGER FRÈRES LIMITÉE

Paris — Tournai      210 ouest, Boul. Crémazie, Montréal. 389-3561

# Sommaire

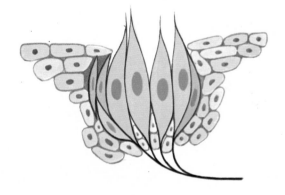

ISBN 0-88551-046-1 (collection)
ISBN 0-88551-057-7 (vol. 11 — Granger Frères)
ISBN 2-7130-0213-3 (Gamma)
(édition originale : ISBN 0 356 04343 6)

Imprimé en Italie

# De la superstition à la science

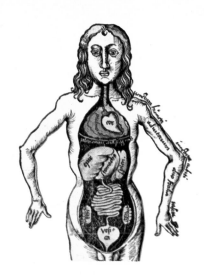

△ Une dissection humaine vers 1500. A cette époque, l'anatomie était en vogue dans la plupart des pays d'Europe. Mais les méthodes de recherche étaient encore imprécises.

△ L'intérieur du corps humain vu par un peintre esquimau.

### La peur des esprits

Depuis l'aube de l'humanité, les hommes ont adopté à l'égard de leur corps une attitude étrange. Les peuples anciens étaient certes intrigués d'en connaître le fonctionnement; pourtant, pendant des milliers d'années, ils n'osèrent ouvrir les cadavres pour en examiner l'intérieur, par crainte des esprits.

Leur curiosité était stimulée essentiellement par le désir de guérir les maladies. Celles-ci étaient souvent attribuées à des esprits mauvais. Au moyen âge, on y voyait un déséquilibre entre les humeurs naturelles du corps : le sang, le flegme, la bile (jaune) et l'atrabile (bile noire). Un dérangement sérieux pouvait mener à une maladie importante; un déséquilibre mineur, à une forte colère ou, au contraire, à une mélancolie persistante.

### Le développement de la science

La Renaissance suscita un regain d'intérêt pour la recherche scientifique. Les médecins n'éprouvaient plus de crainte à disséquer des cadavres, bien que l'Église catholique interdît la dissection de corps humains. En Angleterre, Henri VIII autorisa par an l'autopsie de quatre criminels exécutés. Ce mouvement s'étendit à toute l'Europe, et l'on connut bientôt l'intérieur du corps humain.

Au cours des années qui suivirent, l'étude scientifique progressa grâce à l'invention du microscope, qui permit à Pasteur de découvrir les microbes. Maintes maladies reçurent ainsi une explication rationnelle. Depuis, la science a progressé de plus en plus rapidement, amenant chaque année d'importantes découvertes.

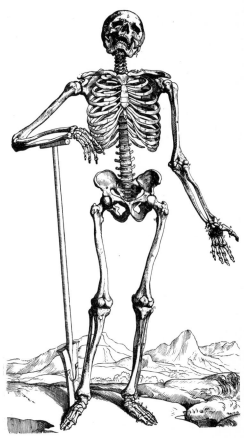

△ Ce dessin de squelette humain provient d'un livre d'anatomie de Vésale (16e siècle). L'ampleur de ses découvertes, basées sur de nombreuses et remarquables dissections de criminels exécutés, fait de Vésale le pionnier de l'anatomie moderne.

△ Les voleurs de corps. A l'époque de la Renaissance, les anatomistes utilisaient les services de pilleurs de tombes, qui leur fournissaient des cadavres à disséquer. Ce commerce macabre dura plusieurs siècles.

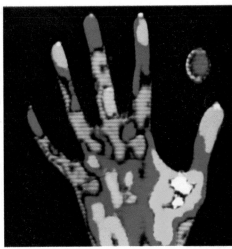

△ La thermographie visualise la température d'un organisme, ici une main humaine. Les diverses couleurs correspondent aux différences de température. De telles techniques modernes d'investigation donnent un nouvel élan aux recherches anatomiques.

# Les cellules les unités vivantes de notre corps

### La découverte des cellules

△ En 1665, observant une lame de liège sous la lentille d'un microscope de sa fabrication, R. Hooke vit qu'elle se composait d'une multitude de petites « boîtes ». Il nomma celles-ci des cellules.

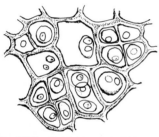

△ En 1839, Schleiden et Schwann formulèrent pour la première fois la théorie cellulaire : selon laquelle tout organisme vivant (animal ou végétal) se compose de cellules.

△ Ce microscope électronique peut grossir jusqu'à 500.000 fois, ce qui permit aux biologistes de découvrir les structures internes de la cellule.

### Les éléments de base du vivant

Le corps est constitué d'environ 50 milliards de minuscules particules de matière vivante : les cellules. Leur dimension est si infime qu'elles ne peuvent être vues qu'à l'aide d'un microscope. Un million et demi de cellules de sang, étendues en une seule couche, couvriraient seulement la superficie de l'ongle du petit doigt.

On pourrait considérer les cellules comme des matériaux servant à édifier le corps, mais leur rôle est infiniment plus complexe. La plupart des cellules sont vivantes. Ayant besoin d'énergie, elles consomment de la nourriture et de l'oxygène fournis par la circulation du sang. Certaines d'entre elles peuvent se déplacer, se faufilant d'un endroit à l'autre. La plupart peuvent se reproduire, en se scindant en deux cellules nouvelles.

### Les cellules spécialisées

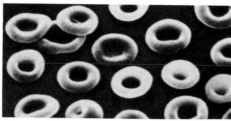

△ Les globules rouges du sang amènent l'oxygène des poumons dans toutes les parties de l'organisme. Leur coloration est due à l'hémoglobine, un pigment ferrugineux.

△ Cellules tapissant les narines. Les petits poils qui y sont implantés ramènent vers l'arrière-gorge et l'estomac les poussières, les microbes et les sécrétions nasales, protégeant ainsi les poumons.

### Les ouvrières de l'organisme

Il faut plutôt comparer le corps à un pays, dont les cellules seraient les citoyens, et le cerveau le gouvernement. Comme des citoyens, les cellules ont différentes capacités et sont spécialisées dans des fonctions diverses, qui contribuent toutes à la vie du corps dans son ensemble. Certaines cellules fabriquent des substances chimiques nécessaires; d'autres transmettent des messages; d'autres encore combattent les microbes envahisseurs, etc.

Les cellules s'amalgament selon leur tâche particulière pour former différents types de tissus : le sang, les os, les muscles, les tissus nerveux, etc. Les tissus sont assemblés à leur tour en d'autres unités plus vastes : le cœur, les poumons, le cerveau. L'ensemble de ces éléments vivants forme l'organisme.

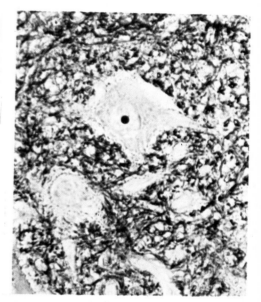

△ Les cellules nerveuses transmettent des messages du cerveau aux organes et réciproquement : ces excitations motrices ou sensorielles circulent par les nerfs, grâce à des processus électriques et chimiques.

### La durée de vie des cellules

Certaines cellules ont une vie très courte et sont continuellement remplacées. D'autres vivent plusieurs années. Malgré le manque d'expérimentation précise, on estime approximativement la durée de vie des cellules :

| | |
|---|---|
| Cellules tapissant l'intestin | 6 jours |
| Papilles gustatives | 7 jours |
| Globules rouges | 4 mois |
| Cellules osseuses | 10 à 30 ans |
| Cellules nerveuses | 18 à 130 ans |

### La division cellulaire

▷ De nouvelles cellules sont constamment fabriquées pour remplacer celles qui disparaissent et pour répondre aux exigences de la croissance. Ce processus de fabrication s'effectue par division cellulaire, c'est-à-dire par scission d'une cellule en deux nouvelles cellules.

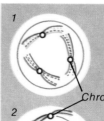

*1*

Chaque chromosome du noyau de la cellule se sépare en deux brins. Sur chacun d'eux s'inscrit de façon semblable le schéma héréditaire de la cellule.

*Chromosomes*

*2*

Les chromosomes se répartissent à égale distance d'une ligne médiane (plan équatorial).

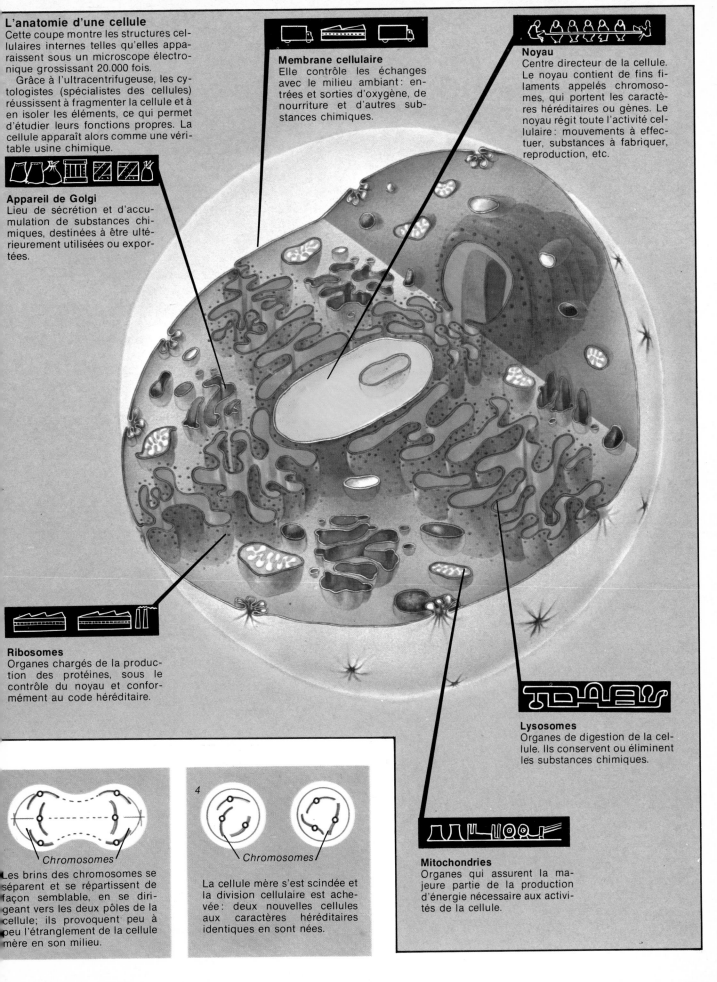

**L'anatomie d'une cellule**
Cette coupe montre les structures cellulaires internes telles qu'elles apparaissent sous un microscope électronique grossissant 20.000 fois.
Grâce à l'ultracentrifugeuse, les cytologistes (spécialistes des cellules) réussissent à fragmenter la cellule et à en isoler les éléments, ce qui permet d'étudier leurs fonctions propres. La cellule apparaît alors comme une véritable usine chimique.

**Appareil de Golgi**
Lieu de sécrétion et d'accumulation de substances chimiques, destinées à être ultérieurement utilisées ou exportées.

**Membrane cellulaire**
Elle contrôle les échanges avec le milieu ambiant: entrées et sorties d'oxygène, de nourriture et d'autres substances chimiques.

**Noyau**
Centre directeur de la cellule. Le noyau contient de fins filaments appelés chromosomes, qui portent les caractères héréditaires ou gènes. Le noyau régit toute l'activité cellulaire: mouvements à effectuer, substances à fabriquer, reproduction, etc.

**Ribosomes**
Organes chargés de la production des protéines, sous le contrôle du noyau et conformément au code héréditaire.

**Lysosomes**
Organes de digestion de la cellule. Ils conservent ou éliminent les substances chimiques.

**Mitochondries**
Organes qui assurent la majeure partie de la production d'énergie nécessaire aux activités de la cellule.

_Chromosomes_

Les brins des chromosomes se séparent et se répartissent de façon semblable, en se dirigeant vers les deux pôles de la cellule; ils provoquent peu à peu l'étranglement de la cellule mère en son milieu.

4

_Chromosomes_

La cellule mère s'est scindée et la division cellulaire est achevée: deux nouvelles cellules aux caractères héréditaires identiques en sont nées.

# L'armature du corps  le squelette

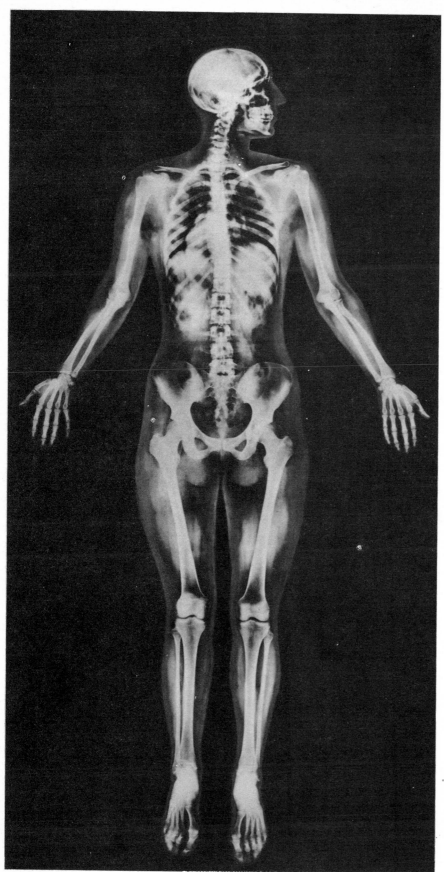

## Une armature d'os

La structure qui supporte le corps humain, ou squelette, se compose d'environ 200 os. Une trentaine d'os plats forment la boîte crânienne qui abrite le cerveau, tandis que le sternum et les 24 côtes protègent le cœur et les poumons. Une chaîne de 26 os emboîtés les uns dans les autres forme la colonne vertébrale ou épine dorsale, laquelle est reliée aux os des bras par les omoplates, et aux os des jambes par le pelvis. Ceci forme l'armature solide à partir de laquelle les nombreux muscles du corps peuvent effectuer des mouvements rapides et compliqués.

## Les maillons d'une chaîne

Les os sont reliés les uns aux autres par des articulations. Les os du crâne sont étroitement et solidement emboîtés, telles les pièces d'un puzzle. Ailleurs, la plupart des articulations peuvent jouer librement. Des joints à surface sphérique aux épaules et aux hanches, et des joints pivotants aux genoux et aux coudes, permettent une grande latitude de mouvements. Les articulations moins souples des vertèbres permettent une courbure limitée.

Dans tous les joints articulés, les extrémités des os sont recouvertes de coussinets, formés d'un tissu souple appelé cartilage; ces coussinets sont lubrifiés grâce à un liquide spécial, la synovie. Chez les personnes âgées, les mouvements lents et précautionneux sont souvent dus à la détérioration du cartilage ou des tissus qui fabriquent la synovie.

## Les os, matière vivante

Contrairement à ce que l'on pourrait croire, les os ne sont pas une matière inerte : ils vivent et se modifient jusque dans l'extrême vieillesse. Chaque année, environ 5 % de l'ossature des adultes est détruite par certaines cellules du centre des os, et remplacée par de la matière osseuse nouvelle construite par les cellules du pourtour. De cette façon, les os restent dans un certain état de souplesse et de jeunesse; cette restructuration permanente leur permet de s'adapter aux besoins du corps et de mieux résister aux contraintes extérieures.

◁ Une radiographie ou photo aux rayons X fait apparaître le squelette humain.

**Coupe d'un os**

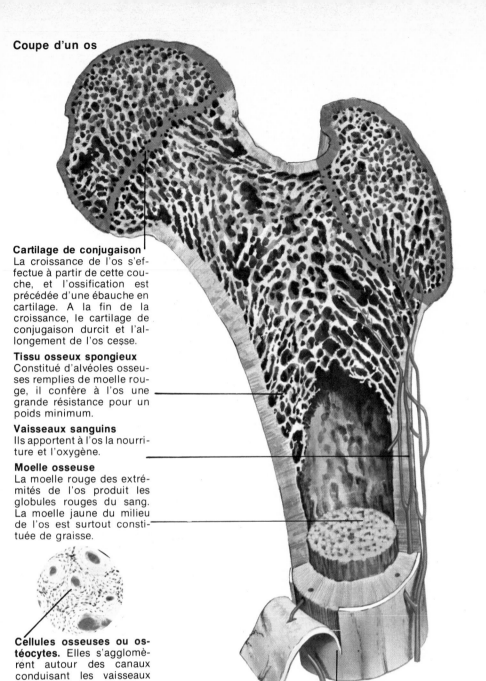

**Cartilage de conjugaison**
La croissance de l'os s'effectue à partir de cette couche, et l'ossification est précédée d'une ébauche en cartilage. A la fin de la croissance, le cartilage de conjugaison durcit et l'allongement de l'os cesse.

**Tissu osseux spongieux**
Constitué d'alvéoles osseuses remplies de moelle rouge, il confère à l'os une grande résistance pour un poids minimum.

**Vaisseaux sanguins**
Ils apportent à l'os la nourriture et l'oxygène.

**Moelle osseuse**
La moelle rouge des extrémités de l'os produit les globules rouges du sang. La moelle jaune du milieu de l'os est surtout constituée de graisse.

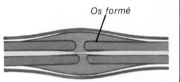

**Cellules osseuses ou ostéocytes.** Elles s'agglomèrent autour des canaux conduisant les vaisseaux sanguins, et extraient le calcium et le phosphore du sang pour les transformer en matière osseuse dure.

**Périoste.** Tissu fibreux engainant l'os dont il constitue la membrane nourricière. Le périoste jeune régénère l'os en cas de fracture.

**Comment se ressoude un os brisé?**

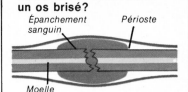

*Épanchement sanguin*        *Périoste*

*Moelle*

1. Le sang s'écoule des vaisseaux sanguins déchirés et forme un caillot autour du point de fracture.

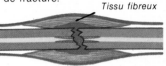

*Tissu fibreux*

2. Les cellules du périoste se multiplient et enveloppent les extrémités brisées d'un « cal » fibreux.

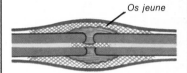

*Os jeune*

3. Au bout d'une dizaine de jours, le « cal » se transforme en cartilage. Après trois à six semaines, le cartilage unissant les fragments s'ossifie.

*Os formé*

4. Le jeune tissu osseux se durcit. Après six à douze semaines, le bras peut à nouveau être utilisé. Dans l'année qui suit, l'os reprend sa forme lisse primitive chez les enfants. Chez les adultes, il subsistera une légère bosse au point de fracture : c'est le cal osseux.

**Les fractures les plus fréquentes**

▷ Les risques de fracture varient avec l'âge et les activités pratiquées. Les os des enfants sont plus souples que ceux des adultes et les fractures incomplètes ou fêlures sont plus fréquentes. Elles se produisent le plus souvent au-dessus du coude. Les os des vieillards deviennent fragiles et cassants : une simple chute peut provoquer une fracture grave du col du fémur (hanche). Chez les jeunes gens, les sports et les accidents de circulation sont à l'origine de la plupart des fractures.

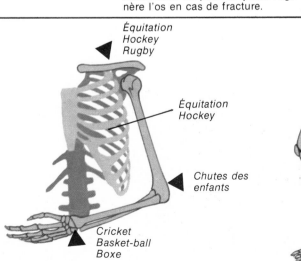

*Équitation Hockey Rugby*

*Chutes des personnes âgées*

*Équitation Hockey*

*Chutes des enfants*

*Moto Ski Football Rugby*

*Cricket Basket-ball Boxe*

*Ski Football Rugby*

# Les muscles générateurs du mouvement

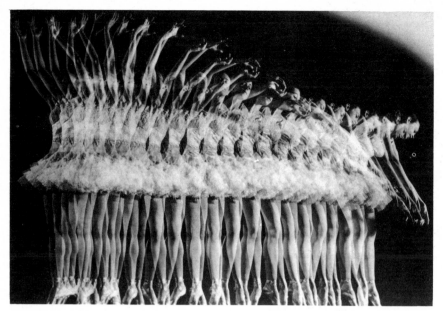

△ La grâce d'un mouvement de danse détaillé par la photographie stroboscopique. Il faut de nombreuses années de pratique pour atteindre cette perfection du geste. La répétition assidue permet de maîtriser l'enchaînement des impulsions nerveuses d'un mouvement complexe et d'en rendre l'exécution souple et gracieuse.

▷ Chaque muscle est constitué d'une quantité de petites fibres, contenant elles-mêmes des filaments minuscules de deux types de protéines: l'actine et la myosine. Quand une fibre musculaire reçoit l'ordre de se contracter, les filaments d'actine glissent sur ceux de myosine, sous l'effet de forces électrochimiques, et raccourcissent ainsi le muscle.

## Les muscles et les os

Qu'y a-t-il de commun entre le fait d'enfiler une aiguille, de shooter sur un ballon ou de faire un saut de 2 mètres (7′) de haut? Rien, sinon le fait que ces mouvements sont commandés par des muscles agissant sur des os. En tout, le corps humain compte environ 600 muscles, les uns grands et puissants, d'autres minuscules mais d'une extrême précision.

Une simple enjambée fait fonctionner une centaine de muscles, dont l'action est à ce point coordonnée qu'on a l'impression d'exercer un mouvement continu.

En observant un violoniste aveugle, on remarque qu'il n'est pas nécessaire qu'il voie ses membres pour contrôler leurs mouvements. Pour chacun de ceux-ci, ce sont les nerfs qui transmettent les instructions venant du cerveau jusqu'aux muscles. Le cerveau peut ainsi contrôler des mouvements complexes, sans grand effort conscient.

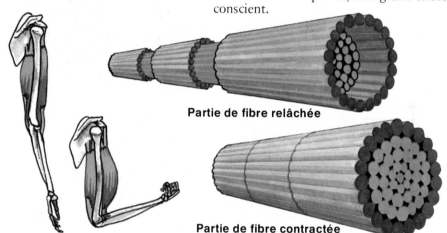

**Partie de fibre relâchée**

**Partie de fibre contractée**

## Vitesse de l'homme et de quelques animaux sur 90 m (100 verges)

L'homme, seulement bipède, est largement dépassé à la course par les animaux de même taille. Mais il dispose de ses mains pour des tâches plus élevées.

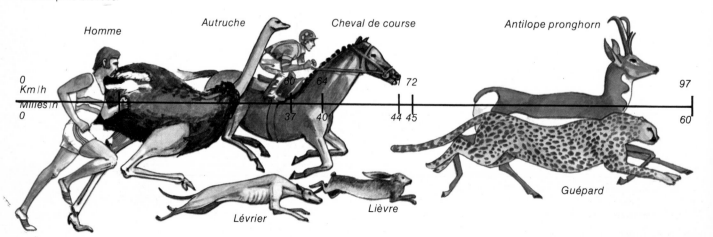

## Le sens de l'équilibre

▷ Un contrôle impeccable des muscles et un sens de l'équilibre sans faille sont deux qualités vitales pour cette équilibriste. Les savants commencent à étudier le processus de contrôle du cerveau et des nerfs sur les muscles.

naux semi-circulaires

△ Les organes de l'équilibre dans l'oreille interne. Les trois canaux semi-circulaires informent le cerveau des mouvements de la tête. Il en résulte des réflexes adaptés au sens et à la rapidité du mouvement; ils tendent à assurer la stabilité de la tête et, par suite, du corps.

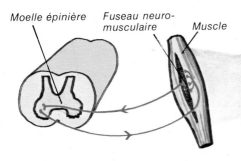

Moelle épinière    Fuseau neuro-musculaire    Muscle

△ Certaines fibres musculaires spécialisées, les fuseaux neuro-musculaires, informent le cerveau et la moelle épinière de tous les faux mouvements. Le cerveau réagit aussitôt en commandant au muscle d'accroître ou de réduire la contraction. Les muscles sont ainsi continuellement « ajustés ».

Un entraînement régulier développe notablement la taille et la puissance des fibres musculaires. Il contribue aussi à fortifier le cœur et à intensifier la circulation, tout en améliorant la respiration et l'irrigation en oxygène : le muscle mieux alimenté peut fournir plus d'énergie.

A la fin d'une course, les coureurs sont essoufflés, car leurs muscles ont consommé une grande part des réserves d'oxygène du sang. Après un temps de repos et de respiration profonde, le cœur retrouve son rythme normal, et le corps sa température habituelle.

# Une enveloppe à fonctions multiples   la peau

## Les couches de la peau

Prenez une loupe et examinez la surface de votre peau : vous y apercevrez quantité de poils de grandeurs différentes, et de nombreuses rides qui s'entrecroisent. Au bout de vos doigts, vous apercevrez également de petits sillons concentriques qui, comme les sculptures d'un pneu, améliorent l'adhérence, lors d'une préhension; ils constituent également pour chacun de nous une conformation unique, marquant sur les objets touchés les empreintes digitales, étudiées en criminologie.

La peau est constituée de deux couches superposées : l'épiderme et le derme. Sauf à l'intérieur de la main et à la plante des pieds, l'épiderme est très mince : 1/10 de mm environ (1/2 ligne). A sa surface, les cellules mortes sont éliminées par frottement, et des cellules neuves les remplacent progressivement par le dessous.

Le derme est beaucoup plus épais. Il est composé d'un réseau de fibres blanches résistantes et de fibres élastiques et flexibles. Entre ces fibres s'insinuent d'innombrables petits vaisseaux sanguins et des nerfs rattachés aux minuscules organes qui enregistrent les sensations du toucher, de la douleur, de la chaleur et du froid.

## Les poils et les cheveux

Les poils et cheveux naissent des follicules pileux de l'épiderme. Les cheveux grandissent de 3/10 de mm (1.5 ligne) par jour pendant 3 à 6 années puis, après quelques mois d'arrêt, tombent et sont remplacés par de nouveaux cheveux. Les sécrétions cireuses des glandes sébacées lubrifient les poils et les cheveux.

## La régulation de la température

Par temps froid, de minuscules muscles redressent les poils, qui retiennent ainsi une couche d'air chaud autour du corps, et les vaisseaux capillaires du derme se rétrécissent, faisant apparaître la peau plus pâle. Par temps chaud, au contraire, ces capillaires se dilatent, permettant au sang d'affluer sous la surface de la peau, tandis que les glandes sudoripares évacuent un liquide clair et salé, la sueur, qui en s'évaporant, refroidit le corps.

Sous les aisselles et autour des organes génitaux, des glandes sudoripares spéciales, nommées glandes apocrines, produisent des sécrétions qui, sous l'influence de bactéries locales, dégagent une forte odeur. L'homme moderne ignore leur rôle ancien et utilise des désodorisants.

**Coupe de la peau**

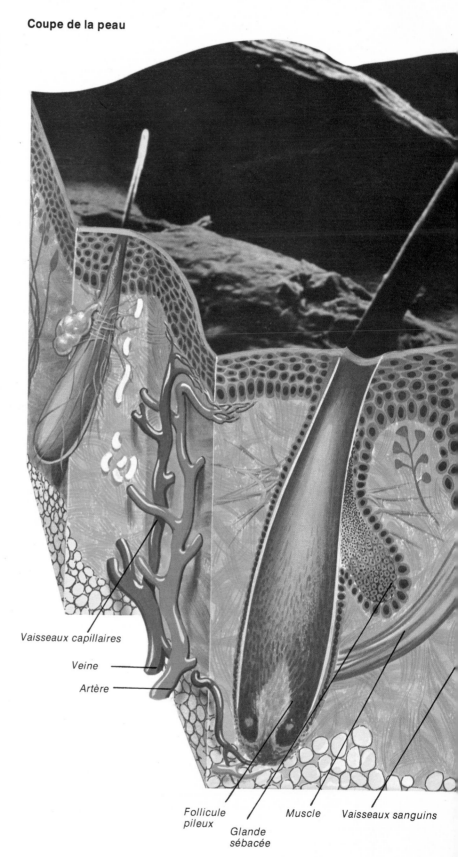

Vaisseaux capillaires

Veine

Artère

Follicule pileux

Glande sébacée

Muscle

Vaisseaux sanguins

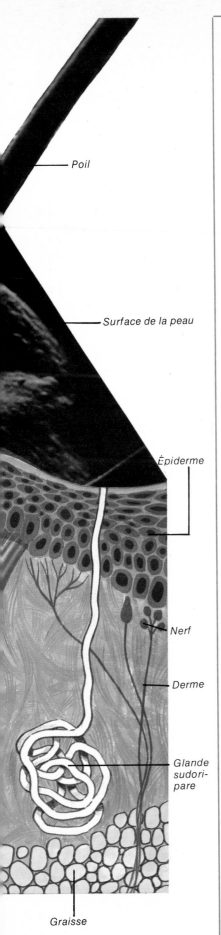

Poil

Surface de la peau

Épiderme

Nerf

Derme

Glande sudoripare

Graisse

## La coloration de la peau

▷ La couleur de la peau provient de trois facteurs principaux: la teinte blanchâtre semi-transparente des cellules épidermiques non pigmentées, la teinte rose due à l'hémoglobine des capillaires sanguins, et les dominantes brunes et noires qui proviennent d'un pigment appelé mélanine.

Ce pigment est produit par de curieuses cellules, les mélanocytes. On les rencontre parmi les cellules de base de l'épiderme et autour de la racine des poils. Les mélanocytes produisent de petits granules de pigments colorés, conduits par des sortes de tentacules dans les cellules voisines.

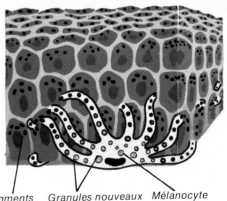

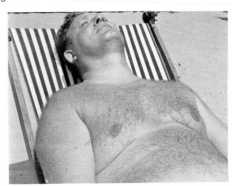

Pigments    Granules nouveaux    Mélanocyte

△ Chez les Noirs, les mélanocytes produisent de nombreux granules brun foncé; ceux-ci forment un écran qui protège les couches internes de la peau contre les rayons ultraviolets de l'intense lumière solaire.

△ Dans les races jaunes ou mongoles, les mélanocytes sécrètent des granules pigmentés moins nombreux et de taille plus petite. Il en résulte une couleur plus claire.

△ Chez les Blancs, les mélanocytes produisent normalement très peu de pigments. Au grand soleil, la fabrication des granules s'accélère temporairement et donne naissance au teint bronzé. Chez certaines personnes, les mélanocytes sont plus actifs à certains endroits de la peau qu'à d'autres: il s'y forme alors des « taches de rousseur ».

### Bebés

Les nouveau-nés ont une peau fine et douce, très peu pigmentée. Une épaisse couche de graisse sous la peau leur confère un aspect joufflu.

### Adultes

La peau commence à montrer des signes de vieillissement. Des rides se creusent sur le visage à l'endroit des plissements habituels; lorsque la production des pigments capillaires diminue, les cheveux gris apparaissent.

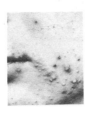

### Adolescents

Une sécrétion plus abondante d'hormones sexuelles stimule la pousse de la barbe chez les garçons et, dans les deux sexes, augmente l'activité des glandes sébacées. Celles-ci peuvent alors s'infecter, causant l'acné.

### Vieillards

Les fibres élastiques du derme perdant leurs propriétés, des rides apparaissent. Les cheveux blanchissent, indiquant ainsi l'arrêt de la production de pigments capillaires. Des touffes de poils surgissent çà et là dans les oreilles et les sourcils, tandis que les follicules du cuir chevelu ne sécrètent plus qu'un fin duvet, ou bien s'arrêtent de fonctionner, entraînant la calvitie.

# Une circulation à sens unique   le sang

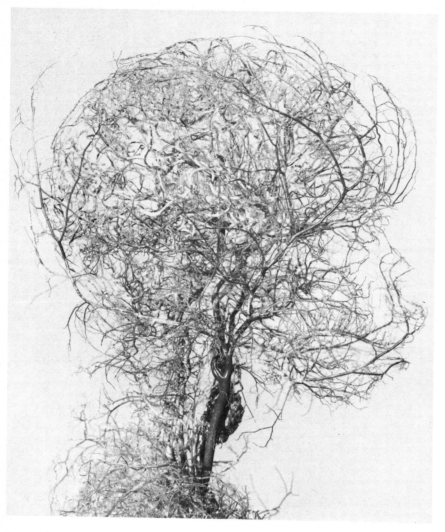

**Les artères et artérioles dans une tête de bébé**

## Un système de transport

Environ 4 litres (7 chopines) de sang circulent sans arrêt dans notre corps. Le sang contient environ 20 milliards de minuscules cellules, flottant dans un liquide appelé plasma. Ces cellules sont de trois sortes : les globules rouges contiennent de l'hémoglobine portant l'oxygène, les globules blancs attaquent les microbes, les plaquettes sanguines favorisent la coagulation.

Le sang circule à travers une série de canaux qu'ont peut comparer au réseau routier d'un pays. Il n'y a aucun risque de collision, car la circulation dans ces canaux se fait strictement à sens unique. Les artères transportent le sang provenant du cœur et, à l'exception de l'artère menant aux poumons, elles transportent un sang pur, un sang rouge riche en oxygène. Les veines, elles, ramènent le sang au cœur. A l'exception aussi de celles provenant des poumons, les veines transportent un sang rouge foncé, pauvre en oxygène. Les plus petites artères et veines sont reliées entre elles par les vaisseaux capillaires. A travers la fine paroi des capillaires, les cellules puisent dans le sang l'oxygène et la nourriture et y déversent leurs déchets.

## Un voyage circulaire

Le cœur est la pompe qui fait fonctionner tout le système. Il bat à raison de 70 pulsations environ à la minute et, à chacune d'elles, un tiers de tasse de sang quitte chaque côté du cœur. Un seul voyage circulaire du sang : du cœur aux poumons avec retour au cœur, puis par les artères des jambes et de retour au cœur par les veines, dure environ une demi-minute.

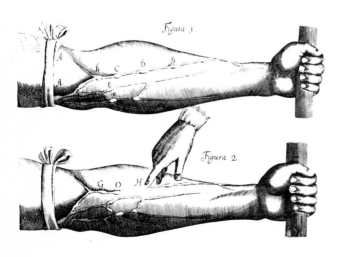

◁ Désireux de connaître les secrets du mécanisme de la circulation sanguine, William Harvey entreprit une série d'expériences. L'une d'elles consistait à garrotter le bras au-dessus du coude, pour faire saillir les veines. En pressant ensuite les veines, Harvey vit que le flux sanguin se déplaçait toujours dans une seule direction. Cette découverte, ajoutée à d'autres observations, lui permit de déduire que le sang circule dans le corps en un circuit fermé. C'était un exploit remarquable si l'on songe que William Harvey ne disposait d'aucun microscope pour examiner les capillaires qui relient les artères et les veines.

▷ Le schéma de la circulation sanguine, découvert par Harvey en 1628, n'a jamais été remis en cause.

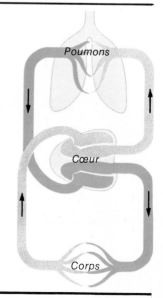

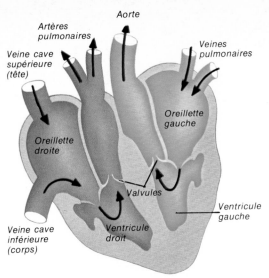

Le fonctionnement du cœur

◁ L'oreillette gauche reçoit le sang riche en oxygène venant des poumons, et l'oreillette droite celui qui est appauvri par son passage dans le corps. La contraction des oreillettes chasse le sang dans les ventricules, puis ceux-ci se contractent et lancent le sang dans l'aorte ou l'artère pulmonaire. Des valvules empêchent le sang de revenir en arrière.

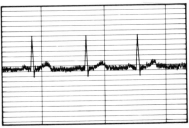

△ L'électrocardiogramme (ou E.C.G.) inscrit les courants électriques qui traversent le muscle cardiaque et provoquent les battements du cœur. Les E.C.G. sont largement utilisés pour détecter les maladies du cœur.

◁ Vue microscopique d'un capillaire sanguin. Les globules rouges transportent l'oxygène, les globules blancs combattent les microbes, le plasma véhicule les matières nutritives, les déchets et les hormones, et les plaquettes sanguines contribuent à la coagulation du sang lors des blessures. Des capillaires, l'oxygène et la nourriture passent aux cellules. Une partie du fluide sanguin suinte hors des capillaires. Ce liquide, appelé lymphe, baigne les cellules voisines, puis retourne vers le capillaire ou est drainé vers les canaux lymphatiques.

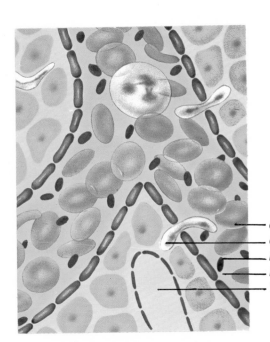

— Globules rouges
— Globules blancs
— Plaquettes sanguines
— Plasma
— Vaisseau lymphatique

Artères (sauf les artères pulmonaires)
Veines (sauf les veines pulmonaires)
Vaisseau lymphatique

Le système circulatoire

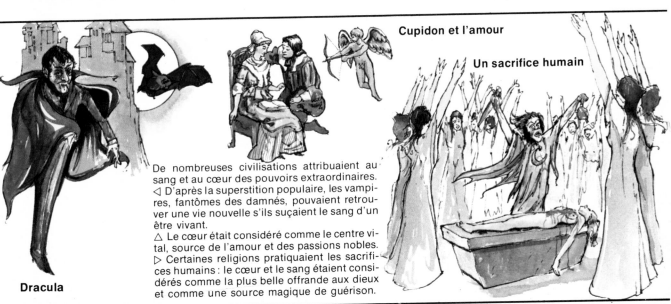

**Cupidon et l'amour**

**Un sacrifice humain**

De nombreuses civilisations attribuaient au sang et au cœur des pouvoirs extraordinaires.
◁ D'après la superstition populaire, les vampires, fantômes des damnés, pouvaient retrouver une vie nouvelle s'ils suçaient le sang d'un être vivant.
△ Le cœur était considéré comme le centre vital, source de l'amour et des passions nobles.
▷ Certaines religions pratiquaient les sacrifices humains : le cœur et le sang étaient considérés comme la plus belle offrande aux dieux et comme une source magique de guérison.

**Dracula**

# La défense contre les microbes les globules blancs

## La destruction des microbes

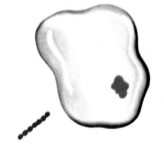

1. La cellule s'approche des microbes.

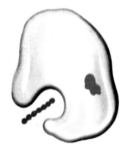

2. Elle les enveloppe ainsi qu'un peu de liquide.

3. Elle les détruit et les digère par réaction chimique.

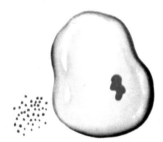

4. Les déchets sont ensuite expulsés.

## Des ennemis vivant sur le corps

Des millions de microbes vivent à la surface du corps et des cavités internes : ce sont principalement des bactéries et des virus. Les bactéries sont de minuscules organismes en forme de bâtonnets ou de tire-bouchons. Les virus sont plus petits encore et mesurent moins d'un quatre millième de millimètre (1/100,000″).

La plupart de ces microbes sont inoffensifs aussi longtemps qu'ils demeurent près de la surface des tissus. Mais, lorsque nous sommes affaiblis, ils peuvent se multiplier plus rapidement, pénétrer et provoquer une maladie. Certains microbes causent des maladies même chez les sujets sains : ce sont des germes virulents.

## L'armée de défense

Notre peau constitue une première ligne de défense qui empêche les microbes de pénétrer dans le corps. Les larmes, la salive et les sucs digestifs tuent de nombreux microbes. Mais, dès l'instant où des microbes ont pénétré à l'intérieur des tissus, un système de défense ingénieux est aussitôt mis en alerte.

Des armées de globules blancs, disposés dans les vaisseaux sanguins et lymphatiques, les amygdales et la rate, sont alertés. Attirés par des matières chimiques étrangères, ils se dirigent vers la zone infectée et détruisent les microbes.

Cependant certains microbes possèdent une enveloppe protectrice, de sorte que les globules blancs ne peuvent les absorber. L'organisme doit alors produire des corps chimiques spéciaux appelés anticorps, qui diffèrent selon chaque sorte de microbes à attaquer.

Les anticorps détruisent les antigènes disposés à la surface des microbes : ils percent ou affaiblissent ainsi la couche protectrice, de sorte que les globules blancs peuvent s'emparer des microbes et les digérer.

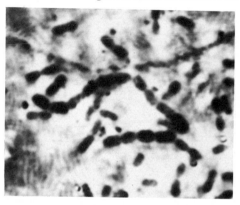

△ Des streptocoques agrandis 5.000 fois. Ces microbes sont souvent responsables des maux de gorge et du gonflement des amygdales.

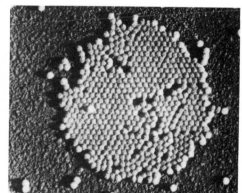

△ Virus de la poliomyélite. Il atteint de nombreuses personnes de manière peu perceptible. Les cas graves sont très rares.

## La riposte à une infection locale

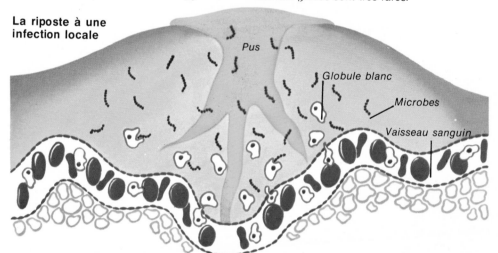

Pus — Globule blanc — Microbes — Vaisseau sanguin

△ Une coupure peut détruire la barrière défensive de l'organisme au niveau de la peau. Les microbes y pénètrent et se multiplient d'abord sans obstacles. Les tissus libèrent ensuite une substance chimique, l'histamine, qui dilate les vaisseaux sanguins voisins et fait rougir l'endroit infecté. Cette action entraîne après quelques heures l'arrivée des globules blancs qui vont s'attaquer aux microbes et les détruire. Mais dans ce combat, de nombreux globules blancs succombent. Leurs résidus, ajoutés à ceux des microbes éliminés, forment le pus.

## La préparation d'un vaccin

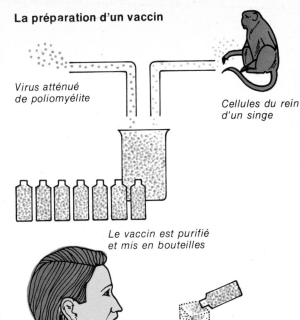

Virus atténué de poliomyélite

Cellules du rein d'un singe

Le vaccin est purifié et mis en bouteilles

Quelques gouttes sont déposées sur un morceau de sucre

△ Cette caricature ancienne tourne en dérision les premiers essais de vaccination antivariolique tels qu'ils furent pratiqués par Edward Jenner à la fin du 18e siècle. Ce médecin anglais avait remarqué que les trayeurs et trayeuses étaient souvent atteints de la vaccine (une maladie infectieuse bénigne de la vache), mais jamais de la variole, une maladie grave très répandue à l'époque. Il entreprit alors de prélever du liquide suintant des pustules et de l'injecter à des personnes saines. Ce fut un succès, car ces personnes « vaccinées » résistèrent aux épidémies de variole. Après quelque temps d'hésitation, les autorités appliquèrent la méthode de Jenner. Elle s'est généralisée depuis lors, pour de nombreuses maladies : l'inoculation de microbes affaiblis dans un corps sain suscite la production d'anticorps et arme l'organisme en prévision d'une attaque plus grave.

## La transplantation d'organes

La transplantation d'organes entiers, tels le cœur, les poumons, le foie et les reins, a déjà été tentée et réussie. Mais, à moins de précautions exceptionnelles, les globules blancs attaquent l'organe étranger et c'est le « rejet ». L'administration de certaines drogues et l'emploi de rayons X permettent de paralyser la réaction des globules blancs, mais l'organisme devient alors extrêmement vulnérable aux microbes. Les spécialistes tentent actuellement d'assortir le mieux possible les organes transplantés aux tissus du receveur, afin de réduire la réaction hostile des globules.

Le corps reconnaît et attaque les microbes envahisseurs, et il réserve le même sort à n'importe quelle cellule étrangère. Par réaction contre les antigènes de « l'envahisseur », l'organisme sécrète des anticorps et mobilise les globules blancs. L'étude des antigènes est dès lors essentielle pour la réussite des transfusions sanguines et des transplantations.

▷ Louis Washkansky, le premier greffé du cœur. L'opération eut lieu en Afrique du Sud en 1967. Le cœur transplanté — celui d'une jeune femme décédée dans un accident de la circulation — fonctionna bien au début, mais Washkansky mourut d'une affection pulmonaire 18 jours plus tard.

## Le problème des groupes sanguins

▷ Le sang est classé en différents groupes déterminés par les antigènes des globules rouges. Les premiers groupes sanguins identifiés furent les groupes A, B, AB et O. Le groupe A possède des antigènes A; le groupe B, des antigènes B; le groupe AB, des antigènes A et B; et le groupe O n'a ni antigènes A ni antigènes B. Si une personne reçoit du sang à antigènes différents de ceux de son propre groupe, des anticorps réagissent aussitôt contre le sang reçu. Il y a donc un problème de compatibilité qui, s'il n'est résolu, risque de rendre la transfusion inutile et même très dangereuse.

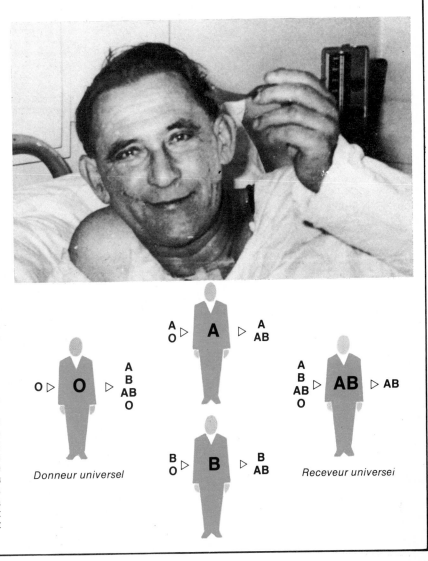

A O ▷ A ▷ A AB

O ▷ O ▷ A B AB O

Donneur universel

B O ▷ B ▷ B AB

A B AB O ▷ AB ▷ AB

Receveur universel

# Les aliments de l'énergie et des matériaux

**Régime recommandé selon l'âge et l'activité**

| Calories par jour | Grammes de protéines par jour |
|---|---|
| 1.000 | 25 |
| 2.300 | 58 |
| 2.800 | 70 |
| 2.200 | 55 |
| 2.400 | 60 |
| 2.700 | 68 |
| 3.600 | 90 |

△ Voici les besoins journaliers en calories et protéines pour différentes catégories de personnes et d'activités. Ces besoins sont largement satisfaits dans les pays industrialisés, mais dans les pays en voie de développement l'insuffisance en nourriture, surtout en protéines, pose un problème grave.

## La nourriture nécessaire à la vie

Sans nourriture, l'homme meurt après 6 à 12 semaines. La nourriture est pour le corps une source d'énergie indispensable, comme l'essence pour le moteur à explosion. Elle apporte également des matières premières nécessaires à la croissance des diverses parties du corps et au remplacement de celles atteintes par l'usure. Le corps a besoin de trois espèces fondamentales d'aliments : des protéines, des graisses et des hydrates de carbone, qui se combinent en proportions diverses dans la nourriture courante (voir le tableau).

## L'utilisation de l'énergie

Ces trois sortes d'aliments peuvent fournir de l'énergie, que l'on mesure en calories. Une personne, confortablement assise, « consomme » environ 80 calories à l'heure. Cette quantité peut être fournie par 25 raisins, 5 frites ou 3 morceaux de sucre.

Une lampe de 100 W ne consomme pas plus d'énergie au cours du même temps. Mais, lors des périodes d'intense activité physique, le corps consomme jusqu'à dix fois cette quantité d'énergie.

## La croissance

Des millions de nouvelles cellules sont créées tous les jours par notre corps. Pour cette croissance, un apport de protéines est indispensable, et plus vite une personne grandit, plus elle a besoin de protéines. C'est ainsi qu'à poids égal, un nouveau-né a besoin de trois fois plus de protéines qu'un adolescent. Les os et les dents ont besoin pour leur croissance de minéraux comme le calcium et le phosphore. Les globules rouges ont besoin de fer, tandis que d'autres parties du corps réclament d'infimes quantités de substances complexes particulières, nommées vitamines.

| (Poids en grammes) | POIDS TOTAL | PROTÉINES | GRAISSES | HYDRATES DE CARBONE | (Calories) ÉNERGIE |
|---|---|---|---|---|---|
| Un épi de maïs cuit | 140 | 2,7 | 0,7 | 20 | 84 |
| Un plat de riz cuit | 70* | 4,3 | 0,7 | 61 | 253 |
| Un plat de spaghetti | 70* | 7 | 0,7 | 59 | 256 |
| Pomme de terre bouillie | 100 | 2 | 0,1 | 19 | 83 |
| Une grande tranche de pain | 30 | 2,3 | 0,5 | 15 | 75 |
| Une cuillerée de miel | 8 | 0,3 | Traces | 6,1 | 23 |
| Une cuillerée de beurre | 5 | 0,2 | 4 | — | 36 |
| Une cuillère à soupe d'huile | 14 | — | 14 | — | 126 |
| Une sardine | 14 | 2,9 | 3,2 | — | 41 |
| Crevettes épluchées | 100 | 22,3 | 2,4 | — | 114 |
| Steak grillé | 225 | 56,5 | 48,5 | — | 684 |
| Œuf à la coque | 48 | 6,1 | 5,5 | 0,3 | 77 |
| Pomme moyenne | 110 | 0,2 | 0,1 | 12 | 48 |
| Carotte crue | 70 | 0,5 | — | 3,8 | 16 |
| Laitue moyenne | 140 | 1,5 | — | 2,5 | 15 |
| Verre de lait | 200 | 7,0 | 9,0 | 9,6 | 160 |
| Verre de jus d'orange | 170 | 1,0 | — | 16 | 65 |
| 28 grammes = 1 once | * Poids avant cuisson | | | | |

△ Lorsqu'en 1498 le navigateur Vasco de Gama contourna le cap de Bonne-Espérance, son équipage fut décimé par le scorbut : sur 160 hommes, 100 moururent. Plus tard on trouva un remède au scorbut : le jus de citron. Nous savons maintenant que le scorbut provient d'un manque de vitamines C, et que le jus de citron prévient et guérit la maladie parce qu'il est très riche en vitamines C.

## L'énergie dépensée par un écolier

▽ La consommation d'énergie d'une personne peut être mesurée par l'analyse de l'air qu'elle expire. Ces dessins montrent la quantité d'énergie dépensée par un écolier de 16 ans dans certaines de ses activités.

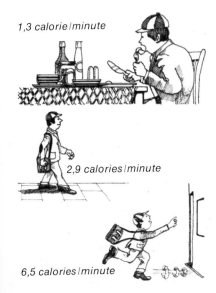

*1,2 calorie/minute*

*1,4 calorie/minute*

*1,3 calorie/minute*

*2,9 calories/minute*

*6,5 calories/minute*

### Vitamine A

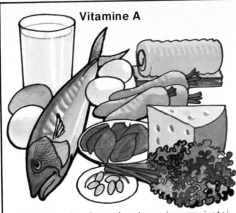

△ La vitamine A protège les voies respiratoires et améliore la vision nocturne. Elle participe à l'élaboration dans l'œil du « pourpre rétinien », un pigment indispensable à la vision. On la trouve surtout dans le foie des poissons, et l'organisme peut l'élaborer à partir du carotène contenu dans les laitages, les œufs et certains légumes. L'addition de beurre aux légumes cuits améliore l'assimilation du carotène.

### Vitamine B

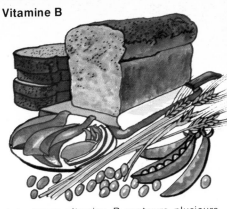

△ Le terme vitamine B recouvre plusieurs substances. Trois d'entre elles permettent d'utiliser l'énergie des aliments et deux autres assurent la transmission des caractères héréditaires lors de la division cellulaire. Sans elles, l'organisme ne produirait pas assez de globules rouges et le sang s'appauvrirait (anémie). On les trouve dans les farines complètes, le jaune d'œuf, les levures et le foie.

### Vitamine C

△ La vitamine C, très active au niveau cellulaire, contribue à maintenir l'intégrité des tissus. C'est un agent puissant de réaction contre les microbes des voies respiratoires, particulièrement ceux des rhumes. En hiver, la consommation insuffisante de légumes et de fruits frais facilite les affections grippales. Un manque grave de vitamine C entraîne le scorbut, caractérisé par des hémorragies et des lésions de tissus.

### Vitamine D

△ La vitamine D est habituellement produite par la peau sous l'influence des rayons solaires. Les œufs, les poissons et l'huile de foie de morue en contiennent également. Elle facilite l'absorption du calcium et est indispensable pour la santé des os et des dents. Le rachitisme ou faiblesse des os des enfants, très répandu au 19ᵉ siècle dans les cités industrielles, s'explique par leur manque d'ensoleillement.

### Vitamine E

△ Le manque de vitamine E perturbe, chez les rats, le cycle de la reproduction, mais on ignore s'il en est de même chez les hommes. Il semble que sa carence favorise l'anémie, mais cette vitamine est présente dans de très nombreux aliments.

### Vitamine K

△ Les légumes verts sont riches en vitamine K. Elle est aussi fabriquée par les bactéries qui vivent dans notre intestin. Elle est nécessaire au foie pour l'élaboration de la prothrombine, essentielle pour la coagulation du sang.

# Le traitement de la nourriture  la digestion

## La digestion d'un repas

Le déjeuner de 13 heures. La digestion complète de ce repas peut durer jusqu'à 30 heures.

△ La mastication réduit la nourriture en petites particules que les sucs digestifs pourront imbiber. Une partie des amidons est transformée en sucre par la salive.

△ La dernière bouchée est avalée et conduite à l'estomac par les contractions musculaires de l'œsophage. Le passage dure de 4 à 10 secondes.

△ La nourriture est traitée dans l'estomac par le suc gastrique. Les substances à demi digérées sont envoyées peu à peu dans l'intestin grêle.

△ Les aliments circulent dans l'intestin grêle, mélangés aux sécrétions de bile, de suc pancréatique et de suc intestinal, riches en enzymes. Le sang absorbe les substances digérées.

△ La digestion est achevée et les substances nutritives sont absorbées. Les déchets, appelés fèces, seront expulsés.

## L'appareil digestif

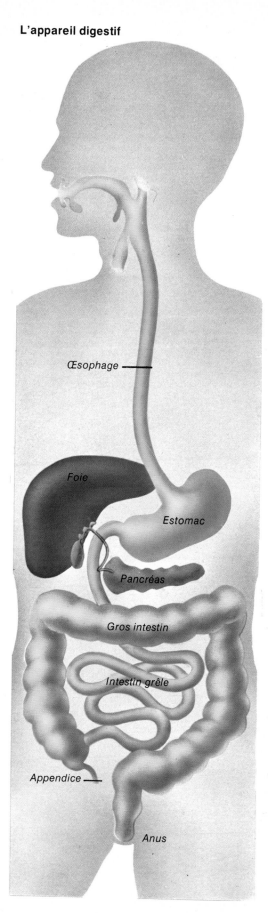

Œsophage

Foie

Estomac

Pancréas

Gros intestin

Intestin grêle

Appendice

Anus

## Les effets de la digestion

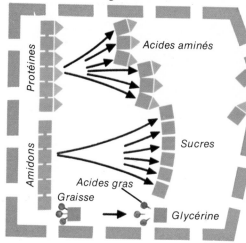

Protéines — Acides aminés

Amidons — Sucres

Graisse — Acides gras — Glycérine

△ Pendant la digestion, la nourriture est réduite en substances plus simples : les protéines en acides aminés, les hydrates de carbone ou glucides en sucres, et certaines graisses sont transformées en acides gras et en glycérine.

## L'alimentation des cellules

Les cellules vivantes ont besoin de nourriture pour leur activité et leur croissance. Grâce au processus de la digestion, les aliments que nous mangeons sont finalement convertis en des substances simples qui peuvent se dissoudre dans le sang et être véhiculées à travers tout le corps vers les cellules.

## Des aides chimiques : les enzymes

La digestion complète d'un repas, de la bouche à l'intestin grêle, prend environ 18 heures. La nourriture se déplace lentement le long du tube digestif, poussée par des contractions musculaires. A chaque étape de son voyage, elle est imbibée de sucs digestifs contenant des substances chimiques spéciales, les enzymes, qui activent la digestion. C'est ainsi par exemple qu'une enzyme appelée ptyaline, contenue dans la salive, transforme l'amidon en sucre : en gardant quelques instants dans la bouche un morceau de pain, vous constaterez qu'il acquiert un goût sucré.

A son arrivée dans l'intestin grêle, la nourriture a été mélangée à 17 enzymes différentes, dont 10 ont été utilisées pour la digestion des protéines, 6 pour celle des hydrates de carbone et une pour celle des graisses. Les protéines ont été transformées en acides aminés, les hydrates de carbone en sucres simples, et les graisses sont divisées en fines gouttelettes ou transformées en acides gras et en glycérine.

La digestion étant achevée, la nourriture peut être absorbée par l'intestin et transportée dans tout le corps.

## La digestion d'un repas

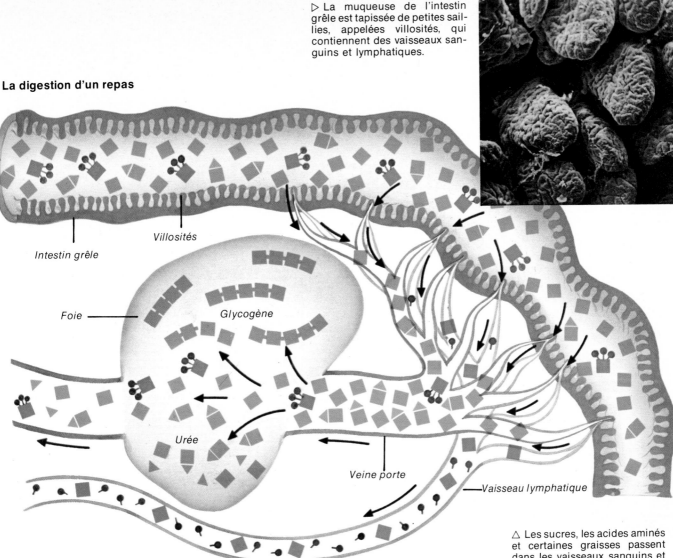

Intestin grêle

Villosités

Foie

Glycogène

Urée

Veine porte

Vaisseau lymphatique

△ Le foie reçoit la plupart des substances nutritives en provenance de l'intestin et régularise leur teneur dans le sang. Il stocke les excédents de sucre sous forme de glycogène. Les surplus d'acides aminés sont transformés en sucre et en une substance de déchet, l'urée.

△ Les sucres, les acides aminés et certaines graisses passent dans les vaisseaux sanguins et sont envoyés au foie. Les acides gras et la glycérine sont emmenés avec la lymphe dans les vaisseaux lymphatiques.

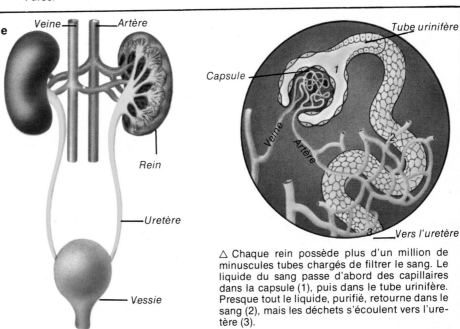

### L'élimination des déchets par l'urine

Veine — Artère

Capsule

Veine

Artère

Tube urinifère

Rein

Uretère

Vessie

Vers l'uretère

▷ Par minute, les reins filtrent environ un litre (une pinte) de sang pour en extraire l'urée produite par le foie, ainsi que de l'eau, des sels minéraux superflus ou nuisibles pour l'organisme, et notamment les résidus de son fonctionnement. Ce mélange compose l'urine.

▷ Goutte à goutte, l'urine s'écoule par les uretères vers la vessie qui, en se remplissant, se gonfle comme un ballon. Lorsqu'elle est pleine, la moelle épinière en informe le cerveau. Au moment propice et selon des impulsions nerveuses adéquates, l'urine est expulsée au travers de l'urètre.

△ Chaque rein possède plus d'un million de minuscules tubes chargés de filtrer le sang. Le liquide du sang passe d'abord des capillaires dans la capsule (1), puis dans le tube urinifère. Presque tout le liquide, purifié, retourne dans le sang (2), mais les déchets s'écoulent vers l'uretère (3).

# La libération de l'énergie   la respiration

## Une lente combustion

Lorsque les cellules ont absorbé de la nourriture, elles doivent être capables de libérer l'énergie qu'elle contient : c'est ce que permet la respiration. La substance nourricière est graduellement décomposée en éléments simples, et son énergie est libérée petit à petit. Cette réaction chimique absorbe de l'oxygène et dégage comme rebut du gaz carbonique.

La respiration, c'est un peu comme la combustion d'un feu. Le feu consomme aussi de l'oxygène, et libère de l'énergie et du gaz carbonique. Mais la respiration est un processus plus lent, qui a lieu à une température très inférieure. Cette combustion maintient la température du corps.

## La pompe à oxygène

L'oxygène dont nous avons besoin est extrait de l'air que nous respirons. Celui-ci est alternativement pompé puis rejeté par les poumons et les organes annexes. L'air passe d'abord par le nez, où il est débarrassé des particules et poussières. Il traverse alors la trachée-artère, puis pénètre dans les poumons : il s'insinue dans les nombreuses ramifications des bronches et atteint finalement des millions de petites poches élastiques nommées alvéoles, entourées de vaisseaux sanguins. L'oxygène de l'air traverse les fines parois des alvéoles et parvient dans les vaisseaux sanguins; le sang le transporte alors à travers tout le corps.

**L'extérieur d'un poumon**

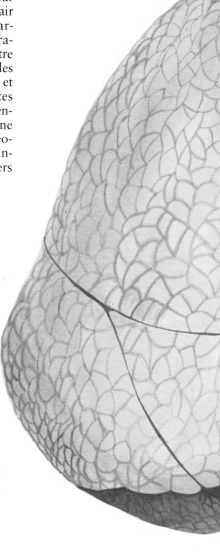

**L'énergie solaire**

△ Le soleil est la source de toute l'énergie vitale. Les rayons solaires permettent aux plantes d'élaborer, par la fonction chlorophyllienne (photosynthèse), des substances chimiques complexes qui servent de nourriture aux animaux. Les vaches vivent d'herbe et la truite se nourrit d'animalcules qui ont mangé des végétaux. Quant à l'homme, comment vivrait-il sans légumes, sans viande et sans poisson?

## Comment les cellules libèrent l'énergie

|   |   |
|---|---|
| △ | A.T.P. |
| ⬡ | A.D.P. |
| ■ | Sucre |
| ● | Oxygène |
| ● | Eau |
| ● | Gaz carbonique |

Chaque cellule contient plusieurs mitochondries, véritables « centrales énergétiques », et deux sortes de substances chimiques, l'A.D.P. et l'A.T.P., faisant office de batteries (respectivement déchargées et chargées). Le sucre est utilisé et réduit dans le corps de la cellule, avant d'entrer dans la mitochondrie. Là, son énergie est employée pour convertir l'A.D.P. en A.T.P., forme « chargée » de la molécule. Dans ce processus, de l'oxygène est absorbé, et du gaz carbonique et de l'eau sont éjectés. L'A.T.P. livre ensuite son énergie aux éléments voisins de la cellule, ce qui le retransforme en A.D.P., qui retourne à la mitochondrie pour se recharger.

**Les ramifications des bronches dans un poumon**

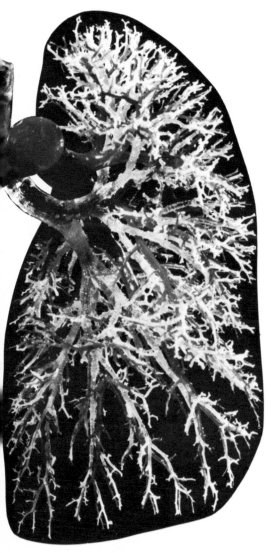

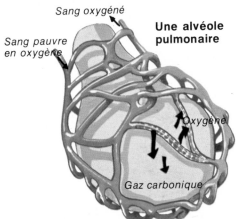

Sang oxygéné

Sang pauvre en oxygène

**Une alvéole pulmonaire**

Oxygène

Gaz carbonique

△ C'est dans l'alvéole pulmonaire que s'effectuent les échanges respiratoires. L'oxygène traverse la fine paroi de l'alvéole et entre dans le sang, tandis que le gaz carbonique en est expulsé. L'air de l'alvéole, appauvri et vicié, est rejeté lors de l'expiration.

**Nombre moyen des inspirations pulmonaires par minute**

21

16

35

▽ L'inspiration. Divers muscles soulèvent les côtes et le diaphragme s'abaisse : la cage thoracique augmente de volume et l'air est aspiré dans les poumons dilatés.

▽ L'expiration. D'autres muscles abaissent les côtes et le diaphragme se relève : la cage thoracique se resserre et comprime les poumons, qui expulsent l'air.

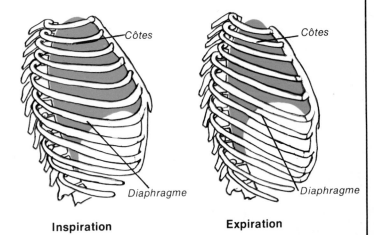

Côtes

Côtes

Diaphragme

Diaphragme

**Inspiration**

**Expiration**

△ La pollution atmosphérique est devenue un problème préoccupant. D'abord causée par les gaz de combustion du charbon, elle s'est considérablement aggravée avec le développement de la circulation automobile et des industries chimiques. La pollution par les gaz et les poussières est à l'origine d'un nombre croissant d'affections pulmonaires. Divers gouvernements ont édicté des lois pour la restreindre.

# Un contrôle automatique la régulation du corps

△ En cas de danger soudain, le corps se prépare à réagir rapidement. La respiration et le rythme cardiaque s'accélèrent. Le foie envoie plus de sucre dans le sang, et celui-ci afflue dans les muscles. Un effort plus intense, de lutte ou de fuite, est ainsi rendu possible.

▷ Lorsque le danger est passé, le cœur et la respiration retrouvent leur rythme normal. L'estomac et l'intestin recommencent à fonctionner. Ces changements sont dirigés par le système nerveux parasympathique, qui rétablit peu à peu l'équilibre de l'organisme.

### Des sytèmes de contrôle

Que vous luttiez contre une tempête de neige ou que vous paressiez au soleil, la température de votre corps demeure pratiquement constante aux environs de 37°C (98.6°F). Tout un ensemble de systèmes de contrôle internes fonctionne sans que nous en ayons conscience. Ils stabilisent les conditions internes de notre corps et coordonnent l'activité de ses diverses parties. Les cellules des parois du cœur et les valvules détectent les plus légers changements de la pression sanguine. Certaines parties de notre cerveau réagissent aux variations de température ou à la concentration des substances chimiques dans notre sang. Dès que ces conditions excèdent les limites tolérables, des instructions sont données pour y remédier.

### La préparation au danger

Imaginez que vous fassiez la sieste sous un palmier après un plantureux repas. Soudain un léopard bondit près de vous. Votre teint pâlit, votre estomac se contracte, votre cœur bat la chamade et votre respiration se fait plus rapide et plus profonde. Ces changements préparent votre corps à une action rapide. Ils sont provoqués par des messages émanant d'un réseau nerveux appelé le système nerveux sympathique.

Lorsque tout danger est écarté, le système nerveux parasympathique intervient à son tour. Il ralentit les battements de votre cœur et votre respiration, colore à nouveau votre teint et ordonne à votre estomac de reprendre la digestion.

### Des messagers dans le sang

Des changements plus durables sont provoqués et contrôlés par les agents chimiques appelés hormones, que le sang véhicule à travers tout notre corps. Constamment, le cerveau donne ses instructions au « chef d'orchestre » des producteurs d'hormones, la glande appelée hypophyse. Aussitôt, cette glande déverse ses hormones dans le sang. L'une d'elles va influencer le comportement des reins, une autre la croissance des os; d'autres enfin stimulent diverses glandes éloignées à fabriquer des hormones particulières.

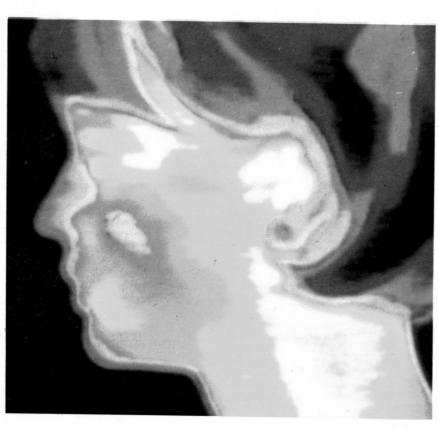

◁ Une thermographie. Cette photo a été réalisée au moyen d'un film sensible à la chaleur qui rayonne du corps (rayons infrarouges). La température corporelle est contrôlée par une région spéciale du cerveau. Si elle s'élève trop, le cerveau commande par l'intermédiaire des nerfs une réaction de « refroidissement »; elle se manifeste notamment par la sudation et le rougissement de la peau. Une température trop basse déclenche un processus de « réchauffement », marqué par la pâleur et les frissons.

△ L'air des hauts sommets contient moins d'oxygène que celui du bord de la mer. L'alpiniste réagit en adoptant une respiration plus rapide et plus profonde. Un séjour prolongé en montagne entraîne une production accrue d'hémoglobine, afin d'intensifier le transport de l'oxygène par le sang. Dès qu'il y a manque d'oxygène ou excès de gaz carbonique dans le sang, le centre respiratoire du cerveau envoie des ordres au diaphragme et aux muscles du thorax, pour accélérer la respiration.

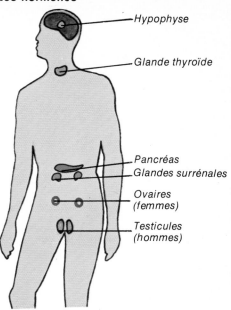

Hypophyse

Glande thyroïde

Pancréas
Glandes surrénales
Ovaires
(femmes)
Testicules
(hommes)

△ L'hypophyse dirige l'ensemble des sécrétions glandulaires; elle produit plusieurs hormones, notamment celle qui commande la croissance. La glande thyroïde produit la thyroxine, qui accélère l'activité cellulaire. L'insuline sécrétée par le pancréas régularise le taux de sucre dans le sang. L'adrénaline produite par les glandes surrénales a plusieurs fonctions; elle contribue notamment à éliminer les séquelles de la maladie. Enfin les glandes génitales, testicules et ovaires, déterminent les divers caractères masculins et féminins.

◁ Le gigantisme de l'Américain Robert Wadlow (1918-1940) s'explique probablement par une sécrétion exagérée de l'hypophyse. A sa mort, il atteignait la taille de 2,71 m (8'11").

△ Cet ivrogne vient d'avaler son douzième verre de bière. Ses reins s'apprêtent à sécréter une grande quantité d'urine très diluée. Les hormones de l'hypophyse, des reins et des glandes surrénales combinent leur action pour ajuster la concentration de l'urine, de manière à éliminer du corps toute l'eau superflue, tout en gardant celle qui est nécessaire. Un système de régulation est ainsi mis en branle pour assurer la constance du milieu interne, malgré l'excès de boisson.

△ La plupart des animaux sauvages ne consomment que ce qui est nécessaire à leurs besoins. Les hommes n'ont pas cette sagesse! Le corps dispose heureusement de moyens pour traiter ces excédents alimentaires. Les sucres sont transformés en glycogène et entreposés dans le foie et les muscles, tandis que les graisses s'accumulent sous la peau. Des hormones interviennent dans ce processus d'utilisation ou de mise en réserve des aliments.

△ Les yogis ont acquis des pouvoirs étonnants leur permettant de modifier à volonté les mécanismes régulateurs de leur corps. Certains réussissent à maîtriser leur rythme cardiaque, d'autres parviennent à vivre enterrés pendant plusieurs semaines, en réduisant leur respiration.

# Un réseau électronique  les nerfs

△ Cet automobiliste roule trop vite et le danger le guette au tournant. La possibilité de stopper à temps dépendra de la vitesse de son véhicule et de la rapidité de ses réflexes. Ceux-ci suivent un schéma complexe : les signaux reçus par les yeux passent par les nerfs sensitifs pour aller au cerveau; celui-ci interprète le danger, puis les nerfs moteurs transmettent les instructions aux muscles commandant le pied, qui pousse le frein. Chez un adulte, cette réaction dure environ 2/3 de seconde. Si le conducteur roule trop vite, ce délai de réaction ne permet pas d'éviter l'accident.

## Un véritable réseau téléphonique

Pareils aux câbles téléphoniques dont le réseau couvre tout un pays, les nerfs constituent un véritable lacis de communications à travers le corps. Les informations reçues par les yeux, les oreilles et le nez sont continuellement transmises au cerveau, et celui-ci envoie constamment des ordres à destination des muscles.

Les nerfs atteignent chaque partie de notre corps. Ils sont constitués de fins filaments, les fibres nerveuses, groupés en faisceaux comme les torons d'un cordage. Si l'on excepte le cerveau, le plus important faisceau de nerfs est constitué par la moelle épinière, située à l'intérieur de la colonne vertébrale.

## Des messages électriques

Chaque fibre nerveuse véhicule un type particulier d'information; par exemple, les fibres reliées aux yeux transmettent des messages sur l'intensité lumineuse. L'information se transmet sous forme codée, en une série de pulsions. Celles-ci sont cependant différentes des courants électriques variables qui forment la base des communications téléphoniques. Ainsi, un message téléphonique de Londres à New York, transmis par câble, effectue le trajet en 1/50e de seconde, alors qu'il lui faudrait 14 h en utilisant le nerf humain le plus rapide! Cependant, en raison des faibles distances à l'intérieur du corps humain, les nerfs constituent un système de communication extrêmement efficace.

△ La théorie de la transmission nerveuse selon Descartes, en 1680. La sensation de chaleur est transmise au cerveau par une « corde » tendue dans le nerf. Le cerveau y répond en envoyant un « fluide » dans le nerf, ce qui déclenche la rétraction du pied.

## Le fonctionnement d'une fibre nerveuse

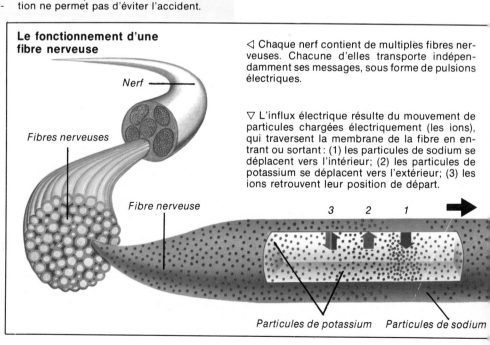

Nerf

Fibres nerveuses

Fibre nerveuse

3  2  1

Particules de potassium   Particules de sodium

◁ Chaque nerf contient de multiples fibres nerveuses. Chacune d'elles transporte indépendamment ses messages, sous forme de pulsions électriques.

▽ L'influx électrique résulte du mouvement de particules chargées électriquement (les ions), qui traversent la membrane de la fibre en entrant ou sortant : (1) les particules de sodium se déplacent vers l'intérieur; (2) les particules de potassium se déplacent vers l'extérieur; (3) les ions retrouvent leur position de départ.

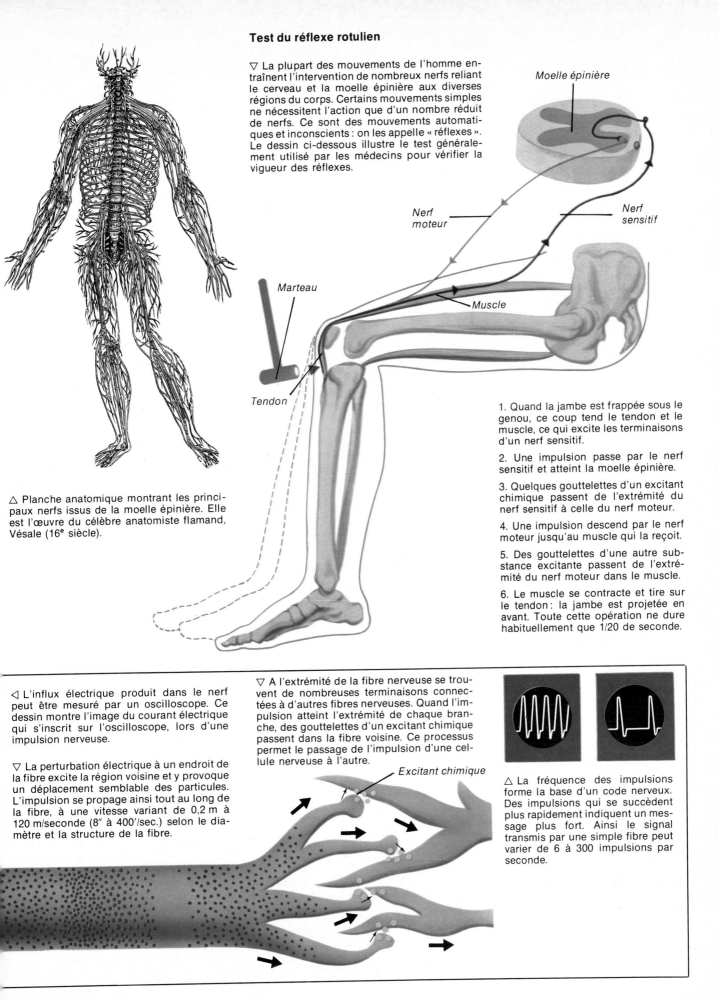

## Test du réflexe rotulien

▽ La plupart des mouvements de l'homme entraînent l'intervention de nombreux nerfs reliant le cerveau et la moelle épinière aux diverses régions du corps. Certains mouvements simples ne nécessitent l'action que d'un nombre réduit de nerfs. Ce sont des mouvements automatiques et inconscients : on les appelle « réflexes ». Le dessin ci-dessous illustre le test généralement utilisé par les médecins pour vérifier la vigueur des réflexes.

*Moelle épinière*

*Nerf moteur*

*Nerf sensitif*

*Marteau*

*Muscle*

*Tendon*

△ Planche anatomique montrant les principaux nerfs issus de la moelle épinière. Elle est l'œuvre du célèbre anatomiste flamand, Vésale (16ᵉ siècle).

1. Quand la jambe est frappée sous le genou, ce coup tend le tendon et le muscle, ce qui excite les terminaisons d'un nerf sensitif.

2. Une impulsion passe par le nerf sensitif et atteint la moelle épinière.

3. Quelques gouttelettes d'un excitant chimique passent de l'extrémité du nerf sensitif à celle du nerf moteur.

4. Une impulsion descend par le nerf moteur jusqu'au muscle qui la reçoit.

5. Des gouttelettes d'une autre substance excitante passent de l'extrémité du nerf moteur dans le muscle.

6. Le muscle se contracte et tire sur le tendon : la jambe est projetée en avant. Toute cette opération ne dure habituellement que 1/20 de seconde.

◁ L'influx électrique produit dans le nerf peut être mesuré par un oscilloscope. Ce dessin montre l'image du courant électrique qui s'inscrit sur l'oscilloscope, lors d'une impulsion nerveuse.

▽ La perturbation électrique à un endroit de la fibre excite la région voisine et y provoque un déplacement semblable des particules. L'impulsion se propage ainsi tout au long de la fibre, à une vitesse variant de 0,2 m à 120 m/seconde (8″ à 400′/sec.) selon le diamètre et la structure de la fibre.

▽ A l'extrémité de la fibre nerveuse se trouvent de nombreuses terminaisons connectées à d'autres fibres nerveuses. Quand l'impulsion atteint l'extrémité de chaque branche, des gouttelettes d'un excitant chimique passent dans la fibre voisine. Ce processus permet le passage de l'impulsion d'une cellule nerveuse à l'autre.

*Excitant chimique*

△ La fréquence des impulsions forme la base d'un code nerveux. Des impulsions qui se succèdent plus rapidement indiquent un message plus fort. Ainsi le signal transmis par une simple fibre peut varier de 6 à 300 impulsions par seconde.

25

# Une caméra perfectionnée   l'œil

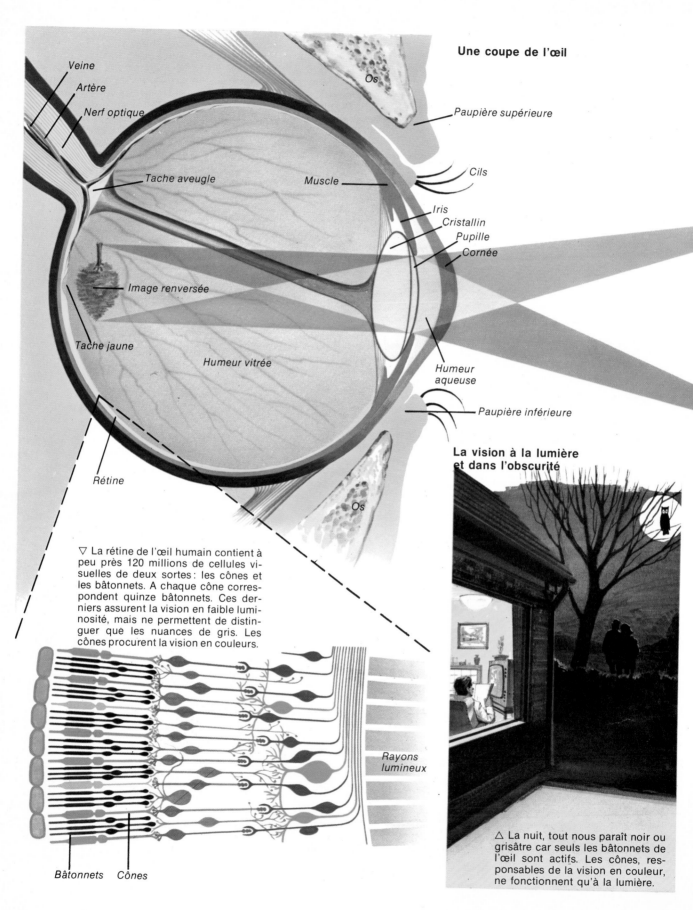

**Une coupe de l'œil**

Veine

Artère

Nerf optique

Tache aveugle

Muscle

Paupière supérieure

Cils

Iris
Cristallin
Pupille
Cornée

Image renversée

Tache jaune

Humeur vitrée

Humeur aqueuse

Paupière inférieure

Os

Rétine

Os

▽ La rétine de l'œil humain contient à peu près 120 millions de cellules visuelles de deux sortes : les cônes et les bâtonnets. A chaque cône correspondent quinze bâtonnets. Ces derniers assurent la vision en faible luminosité, mais ne permettent de distinguer que les nuances de gris. Les cônes procurent la vision en couleurs.

Bâtonnets   Cônes

Rayons lumineux

**La vision à la lumière et dans l'obscurité**

△ La nuit, tout nous paraît noir ou grisâtre car seuls les bâtonnets de l'œil sont actifs. Les cônes, responsables de la vision en couleur, ne fonctionnent qu'à la lumière.

## Le fonctionnement de l'œil

L'œil est comparable à un petit appareil photographique très précis : la pupille en est le diaphragme, qui s'agrandit ou se rétrécit pour admettre plus ou moins de lumière dans l'œil ; le cristallin et la cornée concentrent les rayons lumineux, comme l'objectif photographique, et permettent la mise au point ; la rétine est la couche sensible qui correspond au film.

La lumière provenant des objets éclairés pénètre continuellement dans les yeux. En traversant la cornée et le cristallin, les rayons lumineux sont déviés ou réfractés, de sorte que les rayons qui proviennent d'un même point extérieur convergent en un seul point sur la rétine. Le même processus se produit pour tous les points de la scène extérieure, et ainsi se forme dans l'œil une image inversée de la scène.

## De l'image à la vue

Chaque rétine est tapissée de nombreuses cellules visuelles sensibles à la lumière. Elles contiennent en effet des substances chimiques spéciales temporairement modifiées lorsqu'elles sont atteintes par la lumière. Ce processus chimique engendre des pulsions électriques qui passent par les nerfs optiques et qui sont reçues par le cerveau à un rythme de plusieurs millions par seconde. Le cerveau analyse et compare les impressions reçues en provenance des yeux : il combine les deux images inversées en une seule image redressée et en relief, perçue intérieurement.

## L'apprentissage de la vue

Depuis de nombreuses années, les spécialistes se demandent si la vision des choses est instinctive ou résulte d'un apprentissage. Les observations faites sur les personnes guéries de la cécité aident à résoudre ce problème. Témoins ces deux dessins, effectués par quelqu'un qui a retrouvé la vue après une opération chirurgicale.

△ Deux jours après l'opération. Les détails les plus marqués sont ceux que le dessinateur a pu apprécier antérieurement par le sens du toucher. Pour le reste, il n'y a que des lignes générales.

### La vision stéréoscopique

△ Tendez le bras, levez l'index, puis regardez-le en fermant alternativement chacun de vos yeux. Le mouvement apparent du doigt montre que chaque œil forme une image légèrement différente de celle formée par l'autre. La combinaison des deux images donne la sensation de vision en relief, ou vision stéréoscopique.

△ Un an plus tard. La vue du dessinateur s'est exercée, et il perçoit beaucoup plus de détails. Il semble pourtant que le moteur du véhicule constitue encore pour lui un problème.

### Les illusions d'optique

▽ Fixez le centre de ce drapeau jusqu'à ce que vos yeux en soient fatigués. Ensuite reportez rapidement votre regard sur une page blanche : vous y verrez apparaître les étoiles et les bandes du drapeau des États-Unis avec leurs vraies couleurs. La persistance des réactions chimiques sur la rétine fait apparaître cette « image fantôme ».

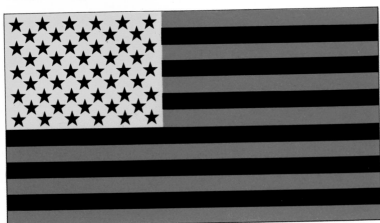

△ Distinguez-vous des taches grisâtres à l'intersection des bandes blanches ? Les bandes coincées entre les carrés noirs paraissent plus claires, parce que bordées de noir. A l'intersection des bandes, le contraste est moindre, et le blanc apparaît gris.

# Le monde des sons   la voix et l'ouïe

## Qu'est-ce que le son?

Le son est constitué d'une série de vibrations qui émanent d'un objet qui les émet — par exemple une cloche ou les cordes vocales. Ces vibrations se propagent à travers l'air, l'eau, ou des corps solides. L'onde sonore se propage un peu à la manière d'une onde de choc. Imaginez par exemple un train à l'arrêt dont le dernier wagon serait tamponné : chaque wagon, par ses butoirs, répercuterait le choc sur celui qui le précède. De même, l'onde sonore se propage par suite du choc d'infimes particules d'air, ou molécules, les unes contre les autres. Ce que nous entendons n'est rien d'autre qu'une série d'agitations des molécules d'air, qui se succèdent à une très grande rapidité.

## La fréquence sonore

Plus fréquentes sont ces agitations ou ondes sonores, et plus aigu est le son que nous percevons. La capacité de l'ouïe humaine s'étend de 20 ondes sonores, ou cycles, par seconde, à 20.000 cycles.

Au-dessus de cette fréquence, le son ne peut plus être perçu par l'oreille humaine et on l'appelle ultra-son. Cependant certains animaux ont des facultés d'audition plus développées que celles de l'homme. On peut par exemple se servir d'un sifflet à ultra-sons qui n'est perçu que par les chiens. Les chauves-souris et les dauphins émettent des rafales de petits cris ultrasoniques qui se réfléchissent sur les obstacles et provoquent un écho, d'après lequel ces animaux se guident facilement.

**Coupe de l'oreille**

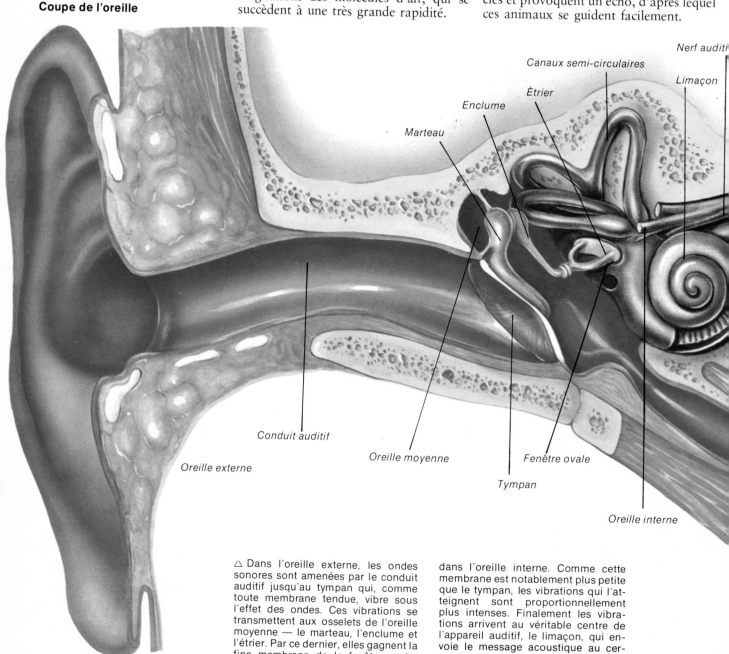

Nerf auditif

Canaux semi-circulaires

Limaçon

Étrier

Enclume

Marteau

Conduit auditif

Oreille moyenne

Oreille externe

Fenêtre ovale

Tympan

Oreille interne

△ Dans l'oreille externe, les ondes sonores sont amenées par le conduit auditif jusqu'au tympan qui, comme toute membrane tendue, vibre sous l'effet des ondes. Ces vibrations se transmettent aux osselets de l'oreille moyenne — le marteau, l'enclume et l'étrier. Par ce dernier, elles gagnent la fine membrane de la fenêtre ovale, dans l'oreille interne. Comme cette membrane est notablement plus petite que le tympan, les vibrations qui l'atteignent sont proportionnellement plus intenses. Finalement les vibrations arrivent au véritable centre de l'appareil auditif, le limaçon, qui envoie le message acoustique au cerveau par le nerf auditif.

## Une échelle des sons audibles

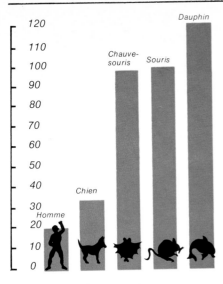

120
110
100
90
80
70
60
50
40
30
20
10
0

Dauphin
Chauve-souris
Souris
Chien
Homme

*En milliers de cycles par seconde*

△ La gamme des sons perçus par l'homme est plus restreinte que celle perçue par les animaux, mais son ouïe est parfaitement adaptée à l'audition de la parole humaine.

## Coupe du limaçon

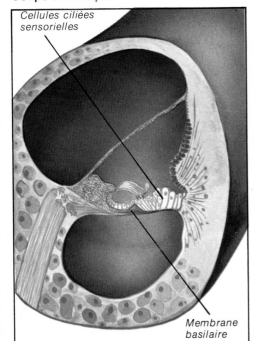

*Cellules ciliées sensorielles*

*Membrane basilaire*

△ Le limaçon joue un rôle essentiel dans l'audition. Il est constitué d'un tube enroulé en spirale, plus sensible aux sons graves à une extrémité, et aux sons aigus à l'autre extrémité. Ce tube est divisé en trois canaux. Les vibrations sonores qui proviennent de l'étrier traversent les liquides du canal supérieur et du canal inférieur, et font vibrer la membrane basilaire du canal central, qui porte des cellules ciliées. Celles-ci transforment les vibrations en impulsions nerveuses, envoyées au cerveau par le nerf auditif.

Palais

Langue

Larynx

Cordes vocales

Trachée-artère

Œsophage

△ La parole peut être analysée par le « sonographe ». Cet appareil inscrit tous les sons prononcés en fonction de la fréquence et de la durée des oscillations sonores. Le dessin obtenu est différent pour chaque personne.

## Comment parlons-nous?

◁ Pour parler, nous faisons vibrer l'air qui sort de nos poumons. Les cordes vocales du larynx provoquent ces vibrations sonores, qui sont ensuite modifiées par la gorge, la bouche, le palais, la langue, les lèvres, les dents et le nez, en fonction des sons que nous désirons émettre.

## Les cordes vocales

▽ Les cordes vocales sont deux fines membranes tendues en travers du larynx. Lorsqu'elles vibrent, l'espace qui les sépare s'élargit et se rétrécit rapidement. La grandeur de cette ouverture détermine la hauteur du son. Les notes aiguës proviennent d'un petit orifice serré en forme de fente, les sons graves d'une ouverture triangulaire plus large.

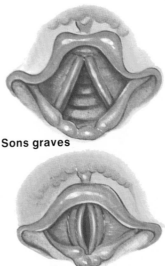

**Sons graves**

**Sons aigus**

## L'aide aux malentendants

Les antiques cornets acoustiques permettaient de capter et de diriger vers l'oreille une plus grande quantité de sons. Les appareils acoustiques actuels captent le son dans un microphone et amplifient le courant électrique qu'il produit. Puis un petit haut-parleur produit des sons renforcés.

# Le toucher, le goût et l'odorat

## Toucher, chatouillement et douleur

Considérons quelques sensations du toucher : la tiédeur soyeuse d'un chaton, la froideur abrupte de la glace, la peau fraîche et glissante d'un ver de terre. Les sensations tactiles sont de toutes nuances.

Ces sensations proviennent de millions de fibres nerveuses disséminées sous la peau. Certaines sont particulièrement sensibles au toucher, d'autres aux pressions ou aux contacts légers. Le chaud et le froid, les chatouillements, la douleur et bien d'autres sensations sont ainsi perçues, distinguées et analysées, grâce aux différentes fibres nerveuses qui les captent et les transmettent. Le toucher est relayé par des fibres rapides, la douleur par des fibres plus lentes. C'est pourquoi nous sentons parfois le contact d'un objet qui blesse, avant d'en ressentir la douleur.

## Le goût et l'odorat

Notre langue est recouverte de différents groupes de cellules spéciales nommées papilles gustatives, qui réagissent aux substances chimiques contenues dans la nourriture. Celles situées à l'avant sont sensibles au salé et au sucré, les papilles latérales le sont au vinaigre et au citron, et celles du milieu et de l'arrière réagissent aux substances amères.

Lorsque nous sommes enrhumés, le goût de la nourriture nous paraît affadi. Ceci s'explique par le fait qu'une partie de notre sens du goût est conditionnée par l'odorat. Des cellules sensibles aux odeurs sont placées dans les fosses nasales et réagissent aux vapeurs contenues dans l'air. Sait-on qu'un expert peut distinguer jusqu'à 10.000 parfums différents ?

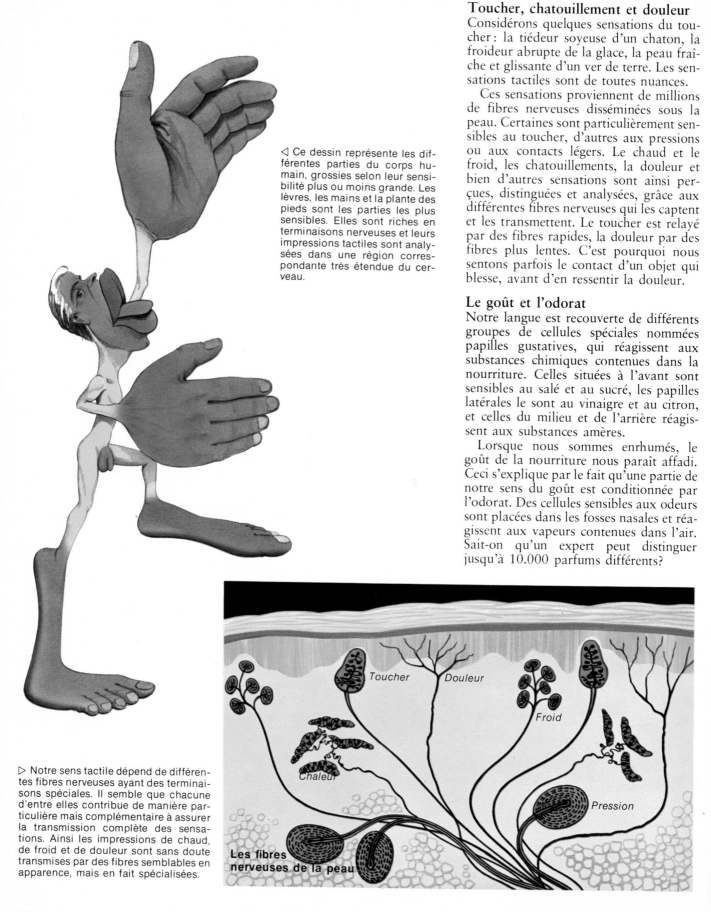

◁ Ce dessin représente les différentes parties du corps humain, grossies selon leur sensibilité plus ou moins grande. Les lèvres, les mains et la plante des pieds sont les parties les plus sensibles. Elles sont riches en terminaisons nerveuses et leurs impressions tactiles sont analysées dans une région correspondante très étendue du cerveau.

▷ Notre sens tactile dépend de différentes fibres nerveuses ayant des terminaisons spéciales. Il semble que chacune d'entre elles contribue de manière particulière mais complémentaire à assurer la transmission complète des sensations. Ainsi les impressions de chaud, de froid et de douleur sont sans doute transmises par des fibres semblables en apparence, mais en fait spécialisées.

Toucher   Douleur

Froid

Chaleur

Pression

**Les fibres nerveuses de la peau**

# Les organes du goût et de l'odorat

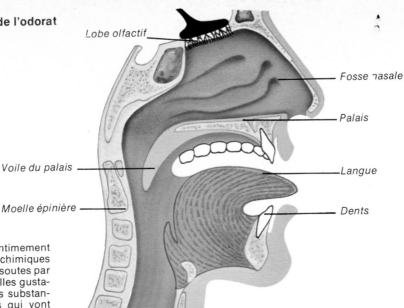

Lobe olfactif

Fosse nasale

Palais

Voile du palais

Langue

Moelle épinière

Dents

▷ Le goût et l'odorat sont intimement liés. Certaines substances chimiques de notre nourriture sont dissoutes par la salive et excitent les papilles gustatives de la langue. D'autres substances répandent des odeurs qui vont exciter les cellules olfactives du nez.

## Comment sentons-nous?

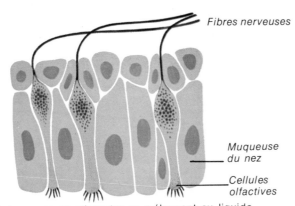

Fibres nerveuses

Muqueuse du nez

Cellules olfactives

△ Les vapeurs odorantes se mélangent au liquide sécrété par les cils des cellules olfactives. Si la cellule est sensible au produit odorant, il se produit une réaction chimique qui excite la cellule et la fibre nerveuse.
▽ L'explication de l'attrait de certains parfums et de la répulsion provoquée par d'autres odeurs reste un mystère. A hautes doses, les odeurs de musc, de civette et de corps humain sont désagréables, alors que sous forme diluée elles sont dites excitantes. Sans musc, les parfums manquent de « corps ».

## Les ingrédients des parfums

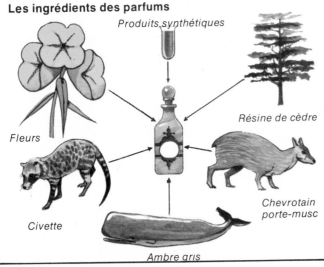

Produits synthétiques

Résine de cèdre

Fleurs

Civette

Chevrotain porte-musc

Ambre gris

## Comment goûtons-nous?

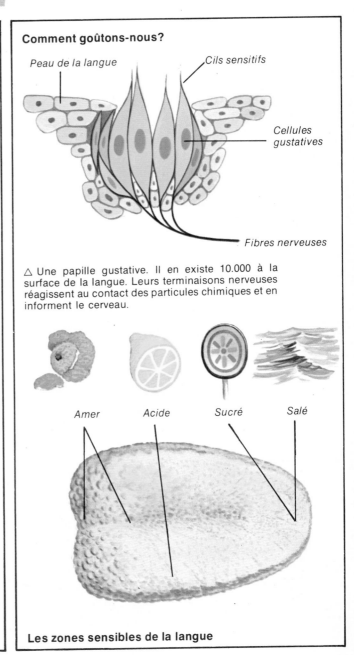

Peau de la langue

Cils sensitifs

Cellules gustatives

Fibres nerveuses

△ Une papille gustative. Il en existe 10.000 à la surface de la langue. Leurs terminaisons nerveuses réagissent au contact des particules chimiques et en informent le cerveau.

Amer

Acide

Sucré

Salé

## Les zones sensibles de la langue

# De l'enfant à l'adulte  la croissance

### Le début de l'adolescence

Entre 9 et 14 ans, garçons et filles entament un cycle de croissance appelé adolescence. Leur corps perd graduellement l'aspect enfantin et acquiert peu à peu la stature adulte. Intérieurement, leurs organes génitaux arrivent à maturité, en sorte qu'ils seront bientôt capables d'assurer l'acte de reproduction et d'avoir des enfants.

Chez les filles, ces changements se marquent par le développement progressif des seins et la croissance de poils sous les aisselles et autour du sexe. Endéans l'année ou les deux ans qui suivent, les règles apparaissent. Chez les garçons, ce sont les testicules qui grossissent, puis la moustache et la barbe se développent, la voix mue, et le pénis atteint graduellement sa taille définitive.

### Le rôle des hormones

Tous ces changements se répartissent sur une période de plusieurs années. Ils sont commandés par le cerveau à l'aide de messagers chimiques appelés hormones. L'hypophyse, cette maîtresse glande située à la base du cerveau, excite par ses sécrétions l'activité des glandes sexuelles, qui répandent dans l'organisme des hormones mâles ou femelles. Il en résulte des modifications physiques, qui s'accompagnent d'une évolution mentale. Garçons et filles éprouvent une attirance réciproque croissante, mais ils connaissent souvent aussi de longues périodes de relations difficiles avec leurs parents.

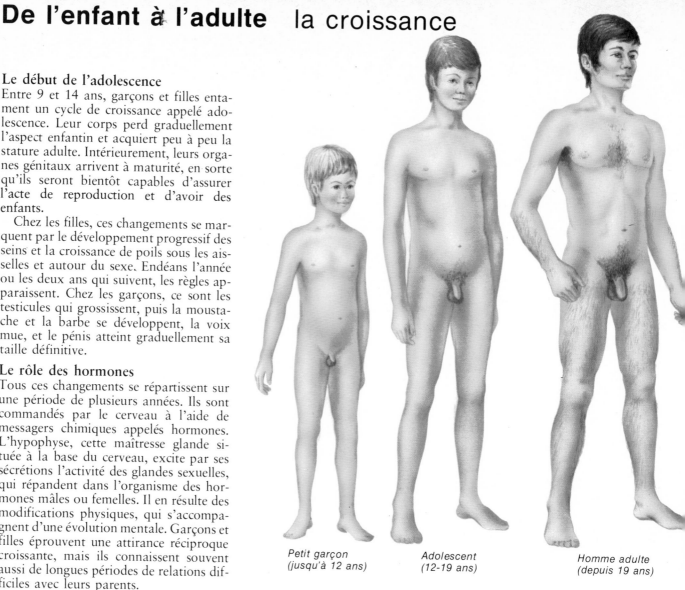

Petit garçon
(jusqu'à 12 ans)

Adolescent
(12-19 ans)

Homme adulte
(depuis 19 ans)

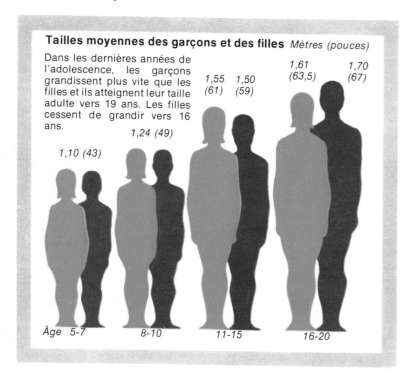

**Tailles moyennes des garçons et des filles** *Mètres (pouces)*

Dans les dernières années de l'adolescence, les garçons grandissent plus vite que les filles et ils atteignent leur taille adulte vers 19 ans. Les filles cessent de grandir vers 16 ans.

1,10 (43)    1,24 (49)    1,55 (61)  1,50 (59)    1,61 (63,5)  1,70 (67)

Âge  5-7      8-10      11-15      16-20

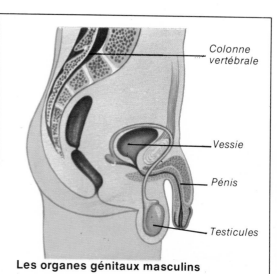

Colonne vertébrale

Vessie

Pénis

Testicules

### Les organes génitaux masculins

Le sperme est produit par les testicules qui pendent, enveloppés dans un sac, sous le pénis. C'est ce dernier qui injecte le sperme dans le vagin de la femme. Avant l'éjaculation, le sperme est dilué par les sécrétions des vésicules séminales et de la prostate. A d'autres moments, le pénis laisse passer l'urine venant de la vessie.

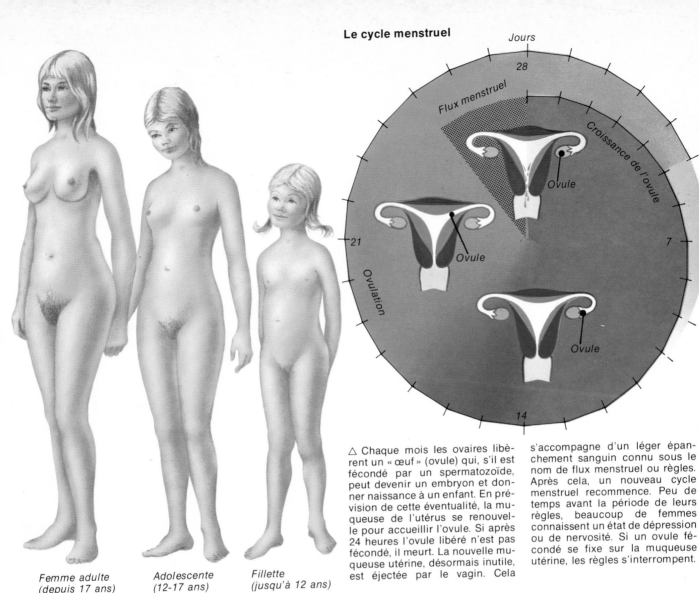

## Le cycle menstruel

Jours

28

Flux menstruel

Croissance de l'ovule

Ovule

21

Ovule

7

Ovulation

Ovule

14

△ Chaque mois les ovaires libèrent un « œuf » (ovule) qui, s'il est fécondé par un spermatozoïde, peut devenir un embryon et donner naissance à un enfant. En prévision de cette éventualité, la muqueuse de l'utérus se renouvelle pour accueillir l'ovule. Si après 24 heures l'ovule libéré n'est pas fécondé, il meurt. La nouvelle muqueuse utérine, désormais inutile, est éjectée par le vagin. Cela s'accompagne d'un léger épanchement sanguin connu sous le nom de flux menstruel ou règles. Après cela, un nouveau cycle menstruel recommence. Peu de temps avant la période de leurs règles, beaucoup de femmes connaissent un état de dépression ou de nervosité. Si un ovule fécondé se fixe sur la muqueuse utérine, les règles s'interrompent.

*Femme adulte (depuis 17 ans)*

*Adolescente (12-17 ans)*

*Fillette (jusqu'à 12 ans)*

Trompe de Fallope

Utérus

Vessie

Vagin

Anus

## Les organes génitaux féminins

Les ovaires produisent de minuscules œufs (ovules) qui, par les trompes de Fallope, gagnent une sorte de sac musculaire, la matrice ou utérus. C'est là que se développera l'embryon humain si la femme est fécondée. L'utérus communique avec l'extérieur par un conduit très élastique appelé vagin.

## Abaissement de l'âge de la puberté

Au cours du dernier siècle, l'âge des premières règles a avancé de 3 ans et demi. L'amélioration des conditions d'hygiène et de diététique explique peut-être ce phénomène.

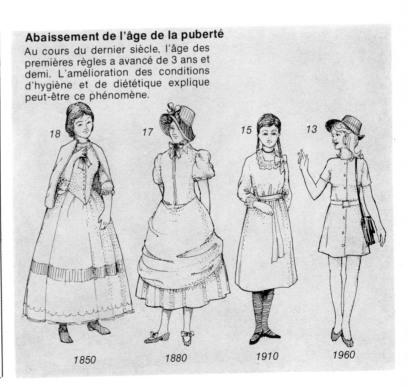

18          17          15          13

*1850*      *1880*      *1910*      *1960*

# La transmission de la vie   la procréation

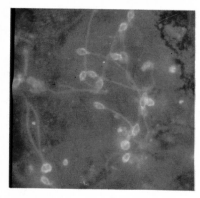

△ Des spermatozoïdes humains, fortement agrandis. La tête du spermatozoïde contient les gènes qui déterminent la transmission des caractères héréditaires du père à l'enfant. La longue queue, utilisée comme nageoire caudale, lui assure sa mobilité lors de la recherche de l'ovule.

△ Bien des mythes entourèrent le mystère de la conception humaine, jusqu'il y a quelques siècles. Qui ne connaît la légende des cigognes recueillant sur les rivières et les rochers les âmes des enfants non encore nés, et apportant les bébés. Cette croyance persista en Europe centrale. Même après la découverte des spermatozoïdes et des ovules, les idées n'étaient pas claires : plusieurs des premiers observateurs utilisant le microscope croyaient voir de petits êtres humains dans le sperme.

## L'œuf et le sperme

La vie de chaque enfant prend son origine dans deux cellules : un œuf provenant de la mère et un spermatozoïde contenu dans le sperme paternel. L'œuf est minuscule, sphérique et transparent; sa taille est à peu près la moitié de celle d'un grain de sel. Le spermatozoïde est beaucoup plus petit encore et a la forme d'un têtard. Environ 200 millions de spermatozoïdes sont produits quotidiennement dans les testicules.

## La reproduction

La réunion d'un œuf et d'un spermatozoïde, dans de bonnes conditions, voilà ce qui crée une vie nouvelle. Les relations sexuelles, ou ce qu'on appelle familièrement « faire l'amour », permettent d'arriver à ce résultat. Elles s'accomplissent généralement en position couchée et dans un climat d'affection mutuelle intense. Sous l'effet de l'excitation, le pénis de l'homme, qui ordinairement reste mou et flasque, devient dur et se redresse, tandis qu'un liquide spécial lubrifie le vagin de la femme. L'homme introduit son pénis dans le vagin de la femme et effectue un mouvement régulier de va-et-vient qui, en s'accélérant, atteint un sommet d'excitation sexuelle appelé orgasme; un liquide blanchâtre, le sperme, contenant des millions de spermatozoïdes, est alors injecté par saccades du pénis dans le conduit vaginal.

Les spermatozoïdes font un long voyage à travers la matrice et les trompes de Fallope. Lorsqu'un œuf est proche, ils « nagent » vers lui de plus en plus rapidement. Dès que l'un d'eux l'atteint et y pénètre, les autres sont repoussés, et une nouvelle vie humaine commence.

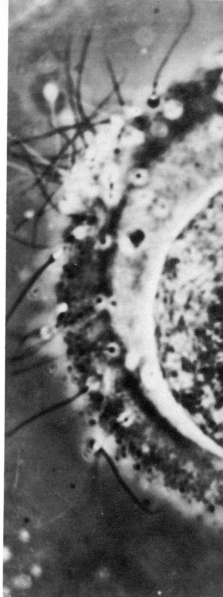

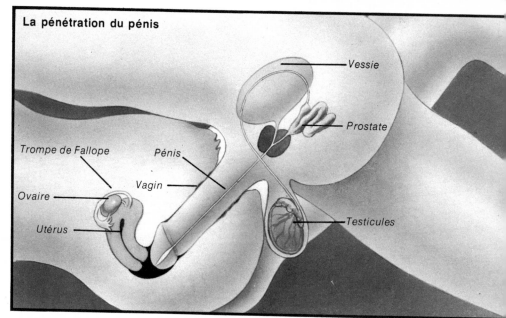

**La pénétration du pénis**

Vessie

Prostate

Trompe de Fallope

Pénis

Vagin

Ovaire

Testicules

Utérus

## Croissance d'un ovule après la fécondation

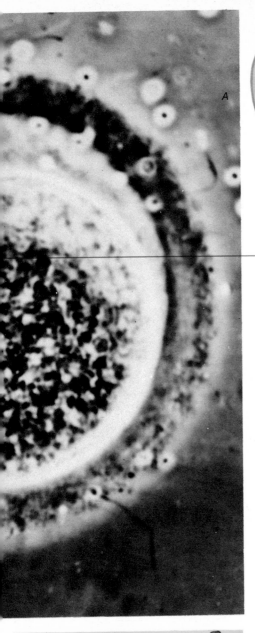

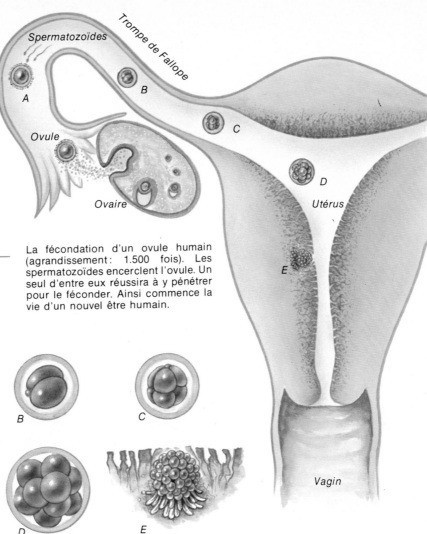

*Spermatozoïdes*

*Trompe de Fallope*

*Ovule*

*Ovaire*

*Utérus*

*Vagin*

A B C D E

La fécondation d'un ovule humain (agrandissement : 1.500 fois). Les spermatozoïdes encerclent l'ovule. Un seul d'entre eux réussira à y pénétrer pour le féconder. Ainsi commence la vie d'un nouvel être humain.

B C D E

△ La première semaine de vie. L'ovule est fécondé dans la trompe de Fallope (A). Il se dirige lentement vers l'utérus, tout en se divisant d'abord en 2 cellules (B), puis en 4, 8 (C), 16 et ainsi de suite jusqu'à ce qu'il forme un agglo-mérat de cellules (D). A la fin de la semaine, il s'accroche à la paroi de l'utérus (E). (Dans le dessin, l'utérus est représenté grandeur nature, mais l'œuf est considérablement grossi).

### La contraception

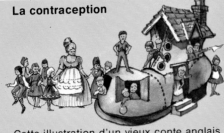

Cette illustration d'un vieux conte anglais, représentant une famille entassée dans un soulier, n'est plus de mise. Aujourd'hui les familles sont moins nombreuses car les couples disposent de moyens contraceptifs leur permettant d'éviter les naissances non désirées. L'homme utilise des préservatifs, par exemple une enveloppe en caoutchouc adaptée au pénis, ou bien la femme prend la « pilule », qui empêche la croissance des ovules. Certaines religions prohibent tous les contraceptifs artificiels : elles admettent seulement de profiter des périodes infécondes du cycle menstruel. Mais la surpopulation menace divers pays.

### Un embryon de 28 jours

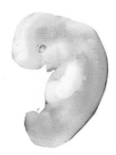

△ Après quatre semaines de développement, le « bébé », doté d'une queue, ressemble à un petit poisson. A ce moment, on l'appelle embryon.

### Un fœtus de 45 jours

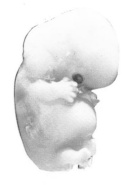

△ Après six semaines, il commence à prendre une forme humaine. Les jambes et les doigts se dessinent. A ce stade, on le désigne habituellement sous le nom de fœtus.

# La naissance d'un enfant

Placenta

Cordon ombilical

### Les premiers développements

Une semaine après la conception, le nouvel être vivant a la forme d'une petite boule, composée de quelques milliers de cellules et attachée à la paroi de la matrice. Au cours des semaines suivantes, le nombre des cellules s'accroît rapidement et elles commencent à se différencier pour « construire » les différentes parties du corps : ainsi, à l'âge de 8 semaines, l'embryon ressemble à un minuscule être humain, doté d'un cerveau, d'un squelette, d'un intestin et d'un cœur qui a commencé à battre. Mais la taille du fœtus ne dépasse guère celle d'un haricot.

A trois mois, il pèse une soixantaine de grammes (2 oz.), à six mois environ 900 gr (2 livres), à neuf mois enfin il pèse entre 2,2 et 4,5 kg (5 à 10 livres) et l'enfant est prêt à naître.

### La vie prénatale

Dans la matrice, il fait chaud et totalement obscur, et il n'y a pas de bruit si l'on excepte les battements assourdis du cœur maternel et un gargouillement occasionnel de son intestin. Le « bébé » est protégé des chocs éventuels par une poche de liquide transparent. Il se nourrit tout d'abord de la matière nutritive stockée dans l'œuf, puis il absorbe différents liquides nutritifs qui tapissent la matrice. Plus tard, il puise la nourriture et l'oxygène dans les vaisseaux sanguins maternels, par l'intermédiaire d'un organe spécial, le placenta.

Le « bébé » peut bouger dans le ventre maternel : il étend parfois une jambe et se retourne. Après cinq mois de grossesse, la mère a parfois l'impression d'avoir un petit oiseau dans le ventre. Mais, après sept mois et demi, les mouvements deviennent moins fréquents, car l'enfant a de moins en moins d'espace pour se mouvoir. Il s'enroule et se met dans la position la plus confortable qu'il trouve, en général la tête tournée vers l'ouverture de la matrice. Il gardera cette position jusqu'à la naissance.

▷ Un fœtus de 12 semaines tel qu'il se trouve dans la matrice. La circulation sanguine de l'enfant s'effectue au travers du placenta, où il puise nourriture et oxygène dans le sang maternel. Les déchets du fonctionnement de son organisme s'évacuent également par le placenta, et sont rejetés par les poumons et les reins de la mère.

▷ Photographie d'un fœtus humain de 10 semaines. Il est enveloppé par un sac transparent, l'amnios, que remplit un liquide aqueux appelé liquide amniotique.

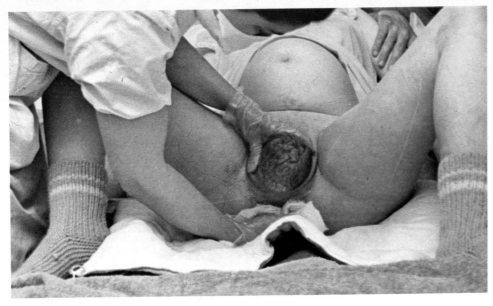

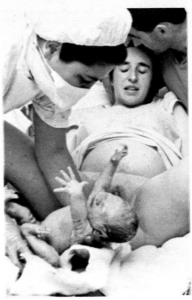

▽ Les premières douleurs préalables à l'accouchement proviennent des contractions des muscles de la matrice. Ces contractions forcent le bébé à engager peu à peu sa tête dans le vagin et à progresser.

△ Après un certain temps, la tête du bébé apparaît à l'orifice du vagin. Avec précaution, l'infirmière aide l'enfant à sortir complètement. La mère peut enfin contempler son petit nouveau-né.

△ Le cordon ombilical est ensuite coupé et noué. Le bébé pousse son premier cri et démontre ainsi le bon fonctionnement de ses poumons et sa capacité à vivre hors de la matrice.

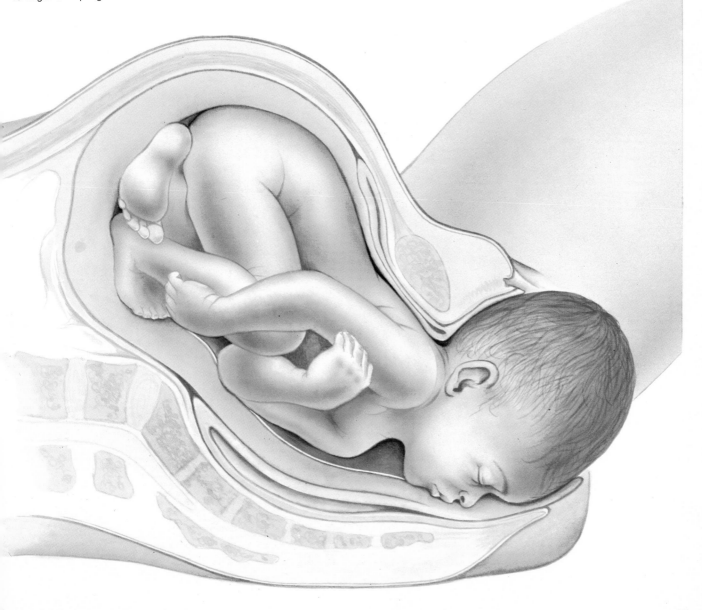

# Nos liens avec le passé   l'hérédité

## La ressemblance familiale

Pourquoi les enfants ressemblent-ils à leurs parents? Pourquoi les brebis donnent-elles toujours naissance à des agneaux bêlants, et les truies à des porcelets au nez retroussé? La manière dont les traits des parents passent à leur progéniture est expliquée par une science appelée la génétique.

## Les gènes et les chromosomes

La vie de chaque être humain, ainsi que de tout agneau ou porcelet, commence par une cellule unique qui se forme lorsque l'ovule maternel est fécondé par un spermatozoïde paternel. A l'intérieur du noyau de l'ovule et de celui du spermatozoïde se trouvent des séries de très minces filaments appelés chromosomes; le long de ceux-ci sont marquées des milliers d'instructions héréditaires « codées » : ce sont les gènes.

## Les gènes au travail

Lorsqu'un embryon se développe et se divise en cellules, chacune reçoit une copie de tous les chromosomes et de leurs gènes. Ces derniers dirigent l'activité des cellules, par exemple ils donnent pour instructions aux cellules de pigmentation de la peau de fabriquer le pigment appelé mélanine. De façon analogue, les gènes déterminent la forme du nez, la longueur des membres et beaucoup d'autres traits. Ils influencent même les qualités mentales, l'intelligence, les dons artistiques, etc...

△ Mendel, un moine autrichien du 19e siècle, découvrit les lois fondamentales de l'hérédité en cultivant des pois dans le jardin de son monastère. Il émit l'idée que pour chaque trait caractéristique — longueur de la tige, couleur de la graine, etc. — le pois recevait de chacun de ses parents un facteur héréditaire. Mais souvent le facteur hérité d'un des parents était masqué temporairement par le facteur hérité de l'autre parent.

---

### Les chromosomes

▷ Les chromosomes provenant d'un globule blanc humain mâle sont groupés en 23 paires. Un membre de chaque paire est la copie d'un chromosome hérité de la mère, et l'autre est la copie d'un chromosome hérité du père.

Les gènes des 22 premières paires déterminent les caractéristiques générales. Ceux de la 23e paire déterminent notamment les caractères sexuels. Chez les filles, ces deux chromosomes ont chacun la forme d'un X, tandis que chez les garçons l'un des chromosomes a la forme d'un X, l'autre celle d'un Y.

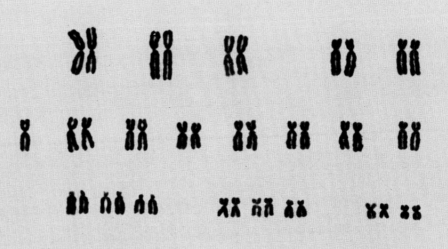

---

### Comment se détermine le sexe

▷ Durant la reproduction, il s'opère un type spécial de division cellulaire, la méiose, telle qu'un seul chromosome par paire va dans chaque ovule ou spermatozoïde. Ainsi chaque ovule reçoit un chromosome X, et chaque spermatozoïde un X ou un Y.

La fécondation d'un ovule par un spermatozoïde X produit une petite fille, par l'association des deux chromosomes X. La fécondation par un spermatozoïde Y donne un garçon, par l'association des chromosomes X et Y.

## Comment hérite-t-on de cheveux roux?

▽ Appliquons la théorie de Mendel. Dans cette famille, la mère a des cheveux noirs et le père des cheveux roux. Les deux fils héritent chacun des gènes « noir » et « roux » pour les cheveux, mais le gène « noir » (dominant) masque les effets du gène « roux » (récessif), de sorte que les deux fils ont des cheveux noirs.

Par leurs spermatozoïdes, les fils transmettent à leurs enfants soit un gène « noir », soit un gène « roux ». La couleur des cheveux des enfants dépendra du gène hérité du père et de celui hérité de la mère. Les gènes « roux » masqués chez les parents peuvent produire des cheveux roux ou auburn chez les enfants.

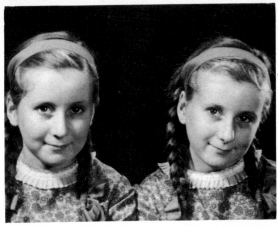

△ Des sœurs jumelles véritables. Elles se ressemblent tellement parce qu'elles possèdent les mêmes gènes. Elles proviennent en effet d'un seul œuf qui s'est divisé en deux embryons à un stade précoce de son développement.

Le cas des « faux » jumeaux est différent : ils proviennent de deux œufs distincts à l'origine, mais qui, par exception, sont arrivés à maturité et ont été fécondés simultanément.

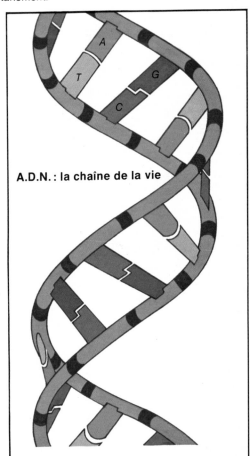

**A.D.N. : la chaîne de la vie**

△ Les gènes sont constitués d'une substance chimique complexe appelée acide désoxyribonucléique (A.D.N.). L'A.D.N. affecte la forme d'une échelle de cordes spiralée, avec des échelons comprenant quatre substances chimiques représentées ici par leurs initiales : A, T, G, C, (adénine, thymine, guanine, cytosine). Celles-ci sont les symboles d'un « code génétique » de quatre lettres, qui fournit les instructions nécessaires à la fabrication des protéines cellulaires.

# Le cerveau    le centre de contrôle du corps

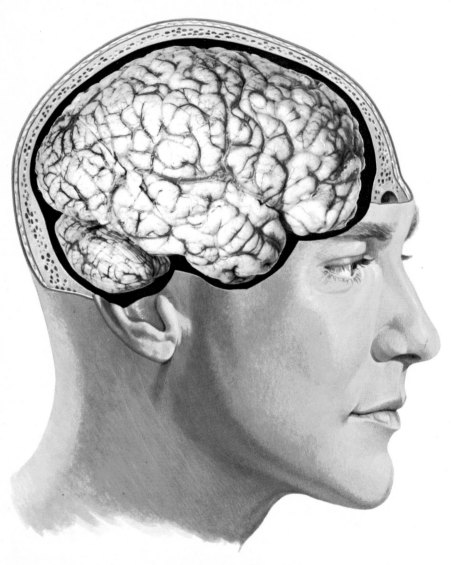

## Une gelée pensante

A l'intérieur du crâne se trouve une importante masse de gelée grise, présentant un réseau de sillons contournés : c'est le cerveau, siège de l'intelligence et de la pensée. Les savants ne peuvent encore dire avec exactitude comment cette gelée peut accomplir des fonctions qui aboutissent à la pensée consciente, bien que d'innombrables expériences effectuées au cours du dernier siècle aient fourni une importante quantité d'informations.

Cette gelée est composée de millions de cellules nerveuses, et aussi de cellules de soutien appelées « gliales ». Les cellules nerveuses peuvent recevoir et transmettre des informations par leurs divers prolongements : dendrites courtes (récepteurs) et axones longs (transmetteurs). Une seule cellule nerveuse peut être reliée à plus de 200 autres. De nombreuses cellules sont dotées de longues fibres qui les relient à des parties lointaines du corps; ces fibres se groupent pour former les nerfs.

## Une activité continuelle

Jour et nuit, le cerveau est le siège d'une intense activité électrique. Transmis par les nerfs, des messages parviennent des yeux, des oreilles, du nez, de la peau, etc... Chacun d'eux est codé en une série d'impulsions électriques qui sont interprétées par le cerveau en image, bruit, odeur, chaleur, etc., selon le nerf qui amène l'impulsion et l'endroit du cerveau où il aboutit. De plus, le cerveau interprète intellectuellement des signes matériels, tels que les lettres vues ou les mots entendus, pour découvrir leur signification au niveau de la pensée.

Les impressions synthétisées sont parfois emmagasinées dans la mémoire. Un nouveau numéro de téléphone peut être oublié en moins d'une minute, mais certains événements frappants peuvent être remémorés des années durant et même indéfiniment. Personne ne sait exactement comment cette mémoire est « stockée ». Peut-être des modifications d'origine chimique dans les connexions entre les cellules nerveuses y sont-elles pour quelque chose.

◁ La trépanation fut pratiquée dès la plus haute antiquité dans de nombreuses régions du globe, de la Russie au Pérou. Une cavité était creusée dans la boîte crânienne, afin d'en chasser les esprits démoniaques qui, croyait-on, causaient les migraines, la folie ou l'épilepsie. Aussi incroyable que cela paraisse, beaucoup de patients survivaient à cette opération, ainsi que l'attestent les traces de cicatrisation dans les os de leur crâne. Certains la subirent trois fois.

La supériorité de l'intelligence humaine s'explique en partie par le développement notable du cerveau, spécialement dans sa partie antérieure. D'après certains, nos ancêtres, voisins des singes, auraient développé leur intelligence dans le pistage du gibier et dans l'adresse déployée pour survivre aux luttes tribales.

△ L'australopithèque vivait dans l'est et le sud de l'Afrique, depuis deux millions et demi d'années jusqu'à un demi-million d'années avant notre temps. Son cerveau pesait à peine plus que celui du chimpanzé; pourtant, il réussissait déjà à confectionner des outils en os.

△ L'*homo erectus* vivait à Java il y a un demi-million d'années. Son cerveau atteignait les deux tiers du poids du nôtre. Il fabriquait des outils en pierre taillée et connaissait l'usage du feu.

△ *Homo sapiens* ou « homme pensant ». Ses plus anciens restes fossiles remontent à 250.000 ans. Peu après, les préhominiens disparurent; ils furent peut-être chassés par l'*homo sapiens*.

▽ Dans ce dessin, la hauteur relative des animaux indique la proportion du poids du cerveau dans le poids total de leur corps. L'homme les dépasse tous de loin. Son rival le plus immédiat, le dauphin, est réputé pour l'intelligence de son comportement.

△ Les fils électriques dans un ordinateur.

▷ Les cellules nerveuses dans le cerveau. Le cerveau ressemble à un petit ordinateur. L'enchaînement des cellules nerveuses forme de minuscules circuits, comparables aux circuits électroniques d'un ordinateur. Les impulsions nerveuses correspondent aux signaux électroniques des ordinateurs. Ceux-ci peuvent d'ailleurs être programmés selon un schéma de raisonnement logique emprunté au cerveau.

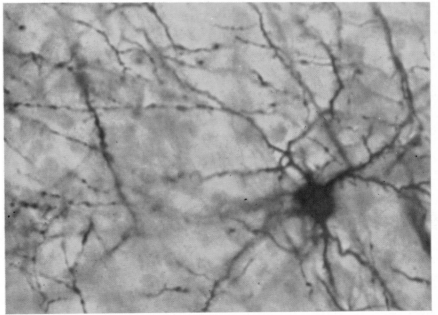

# Les fonctions du cerveau

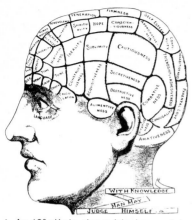

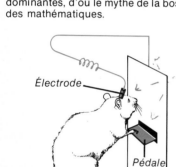

△ Au 18e siècle, des médecins anglais élaborèrent la théorie, aujourd'hui réfutée, de la « phrénologie ». Selon celle-ci, les divers aspects de la personnalité humaine se localiseraient dans des parties précises du cerveau. En tâtant les bosses du crâne, il aurait été possible de déceler les tendances dominantes, d'où le mythe de la bosse des mathématiques.

## Une carte du cerveau

Les savants ont longtemps essayé de déterminer si les différentes parties du cerveau assuraient des fonctions distinctes. Tout d'abord, ils ont étudié les incapacités des personnes ayant subi des blessures à des parties du cerveau, ainsi que les incapacités d'animaux sur lesquels on effectuait de telles lésions. Puis vinrent des expériences de stimulation électrique du cerveau au moyen d'électrodes. Plus récemment, des électrodes microscopiques et de nouvelles techniques biochimiques ont été utilisées pour tester l'activité de certaines cellules cervicales individuelles. Procédant de cette manière, on a pu dresser une carte de l'action du cerveau.

Dans la partie supérieure se trouvent les centres d'analyse qui traitent les informations reçues des organes des sens. Grosso modo, le secteur concernant la vue se trouve à l'arrière, celui de l'ouïe sur les côtés et celui du toucher près du centre. Ce dernier secteur a été stimulé par des électrodes sur des patients subissant une intervention chirurgicale au cerveau. Ils firent état de fourmillements ressentis dans plusieurs parties du corps. Plus profondément dans le cerveau se trouvent les centres qui contrôlent l'éternuement, le sommeil et de nombreuses activités.

De nombreuses zones inconnues subsistent dans la carte du cerveau. On les appelle les zones silencieuses et l'on croit maintenant qu'elles concernent certaines activités supérieures, telles les mathématiques ou la prise de décisions, etc...

Il est évident que l'activité mentale dépend du travail coordonné de plusieurs parties du cerveau. La simple lecture à haute voix d'une ligne de ce livre met à contribution les centres d'analyse visuelle, de l'audition, de la parole, du contrôle musculaire et beaucoup d'autres. L'activité de ces régions est coordonnée par d'innombrables cellules nerveuses de connexion, visant à produire en définitive le son clair et l'élocution aisée de votre voix.

*Électrode*

*Pédale*

◁ En pressant la pédale reliée aux électrodes plantées dans son crâne, ce rat reçoit une légère secousse électrique. Certains rats l'actionnent jusqu'à 2.000 fois par heure lorsque les électrodes sont fixées près de la région du cerveau responsable des sensations de plaisir.

▷ La surface de l'encéphale mise à nu lors de l'opération d'un épileptique. Le chirurgien, W. Penfield, étiquette et stimule au moyen d'électrodes les différentes circonvolutions du cerveau. En demandant au patient de décrire chaque fois ses sensations, il parviendra à localiser les diverses fonctions cérébrales.

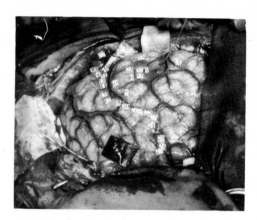

---

## Problèmes de quotient intellectuel

1. Quel est le nombre manquant?

2. Quel est le chat différent?

3. Quelle est la figure différente?

## La mesure des capacités mentales

L'étude de la structure et du fonctionnement du cerveau ne permet pas encore d'expliquer les degrés de l'intelligence humaine. Depuis le début de ce siècle, les psychologues appliquent une méthode de tests destinés à mesurer la capacité intellectuelle d'un individu par rapport à la capacité moyenne des personnes du même âge. Un quotient intellectuel (Q.I.) de 100 révèle une intelligence moyenne; un chiffre plus élevé, une capacité plus grande. Mais ces questionnaires ne permettaient pas d'apprécier les qualités d'initiative et de créativité. D'où l'adoption de nouveaux tests, les tests de créativité.

chapeau vu d'en haut, des ronds dans l'eau, etc... 3. Une cible, une roue, un faire une marche, etc... 2. Une vague, des collines, un câble, etc... vité. 1. Pour la construction, l'entreposage, pour Quelques réponses aux problèmes de créati-

sens contraire des autres. trième figure, car son nez est orienté dans le queue est tournée en sens contraire. 3. La quatuel. 1. 27 (22 + 5). 2. Le chat du centre car sa Réponses aux problèmes de quotient intellec-

## Problèmes de créativité

1. A quoi pourrait-on employer cet objet?

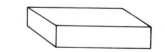

2. A quoi vous fait songer cette illustration?

3. A quoi vous fait songer cette illustration?

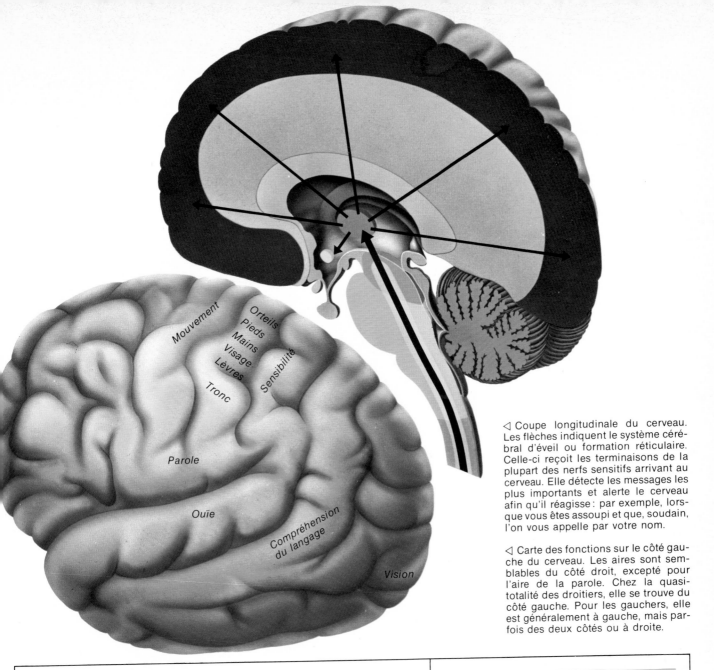

Mouvement

Orteils
Pieds
Mains
Visage
Lèvres

Sensibilité

Tronc

Parole

Ouïe

Compréhension
du langage

Vision

◁ Coupe longitudinale du cerveau. Les flèches indiquent le système cérébral d'éveil ou formation réticulaire. Celle-ci reçoit les terminaisons de la plupart des nerfs sensitifs arrivant au cerveau. Elle détecte les messages les plus importants et alerte le cerveau afin qu'il réagisse : par exemple, lorsque vous êtes assoupi et que, soudain, l'on vous appelle par votre nom.

◁ Carte des fonctions sur le côté gauche du cerveau. Les aires sont semblables du côté droit, excepté pour l'aire de la parole. Chez la quasi-totalité des droitiers, elle se trouve du côté gauche. Pour les gauchers, elle est généralement à gauche, mais parfois des deux côtés ou à droite.

## Les ondes cérébrales

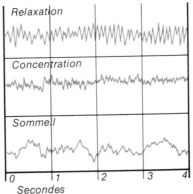

Relaxation

Concentration

Sommeil

0    1    2    3    4
Secondes

## Les types de sommeil

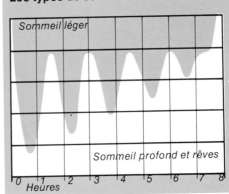

Sommeil léger

Sommeil profond et rêves

0    1    2    3    4    5    6    7    8
Heures

△ Électro-encéphalogramme (E.E.G.) Celui-ci donne une mesure générale de l'activité électrique du cerveau. Les ondes cérébrales enregistrées résultent de l'activité nerveuse des millions de cellules du cerveau.

△ Les ondes cérébrales sont amples en temps de relaxation, et plus petites et étroites durant les périodes de concentration. Lors du sommeil, elles deviennent plus profondes et plus lentes, mais s'accélèrent pendant le rêve.

△ Une nuit de sommeil enregistrée à l'E.E.G. révèle une alternance de périodes de sommeil léger et profond. Les rêves surviennent pendant le sommeil profond. Tout le monde rêve. Ceux qui prétendent qu'ils ne rêvent pas sont simplement incapables de se rappeler leurs rêves.

# Bricolages, observations et expériences

## Construction d'un stéthoscope

*Tube souple*

*Tube en Y*

*Entonnoir*

Matériel : un petit entonnoir de 5 cm (2″) de diamètre, un tube en Y ou en T, un tube en plastique ou en caoutchouc d'un mètre (1 verge) de long. Assemblez le stéthoscope comme l'indique le dessin. Placez l'extrémité des tubes dans vos oreilles et l'entonnoir sur votre poitrine, légèrement à gauche du centre. Entendez-vous les battements de votre cœur? Essayez de détailler ces bruits. Écoutez le souffle de votre respiration.

## L'expérimentation du goût

Ingrédients : douze aliments différents : fraises, ananas, pommes de terre cuites, poisson, etc... Matériel : compte-gouttes, crayon, papier.

Broyez les aliments un à un, en les mélangeant avec un peu d'eau. Bandez les yeux d'un de vos amis et pincez-lui le nez entre le pouce et l'index pour le priver d'odorat. Déposez sur sa langue quelques gouttes d'une des préparations. Demandez-lui d'identifier le goût et inscrivez la réponse sur le papier. Répétez l'opération avec les onze autres préparations. Ensuite recommencez toute l'expérience, mais en permettant à votre « cobaye » de garder le nez dégagé. Comparez les résultats. L'odorat influe-t-il sur le sens du goût?

## Recherchez vos caractères héréditaires

Découvrez quelques-uns des caractères héréditaires de votre famille, au travers de sa généalogie. Vous pouvez ainsi remonter à la source de vos propres caractères. Pour chacun de ceux mentionnés ci-dessous, vous possédez un gène hérité de votre père et un gène hérité de votre mère. Mais un gène (appelé dominant) peut masquer les effets d'un autre gène (appelé récessif).

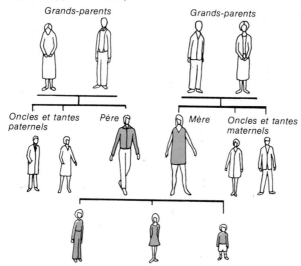

## Testez la rapidité de vos réflexes

Matériel : une latte graduée de 30 cm (1′), un crayon et une feuille de papier. Tenez la latte verticalement comme ci-dessous et demandez à un ami de placer, sans serrer, le pouce et un doigt de part et d'autre de la partie inférieure, à hauteur du chiffre zéro. Prévenez-le qu'il devra pincer la latte dès que vous la lâcherez. Une certaine longueur tombera avant qu'il ne réagisse : cette mesure indiquera son temps de réaction.

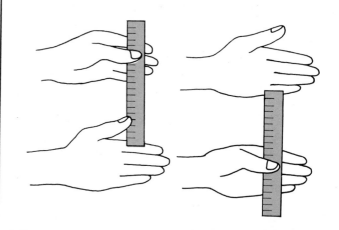

| Mesure | Temps de réaction | Appréciation |
|--------|-------------------|--------------|
| 9 cm | 135 millièmes de sec. | Excellent |
| 11 cm | 150 millièmes de sec. | Très bon |
| 14 cm | 170 millièmes de sec. | Bon |
| 16 cm | 180 millièmes de sec. | Assez bon |
| 20 cm | 200 millièmes de sec. | Moyen |
| 24 cm | 220 millièmes de sec. | Médiocre |
| 30 cm. | 250 millièmes de sec. | Pauvre |

(1″ = 2,54 cm)

### Caractères dominants

Cheveux foncés

Cheveux foncés

Yeux bruns

Cheveux bouclés

Capacité de rouler la langue dans le sens de la longueur

### Caractères récessifs

Cheveux clairs

Cheveux roux

Yeux bleus

Cheveux lisses

Incapacité de rouler la langue dans le sens de la longueur

## Mesurez votre capacité pulmonaire

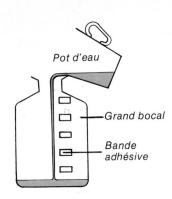

Pot d'eau

Grand bocal

Bande adhésive

1. Remplissez d'eau un pot d'une capacité d'un demi-litre (1 chopine). Videz-le dans un grand bocal et indiquez le niveau atteint par l'eau en y collant une bande adhésive. Répétez l'opération par demi-litres jusqu'à ce que le bocal soit rempli.

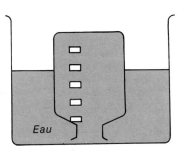

Eau

2. Retournez ensuite le bocal plein d'eau dans l'eau d'une cuvette. Introduisez un tuyau de caoutchouc dans le goulot du bocal.

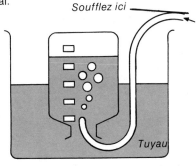

Soufflez ici

Tuyau

3. Maintenez fermement le bocal dans la position indiquée ci-dessus. Demandez à un ami de souffler le plus d'air possible dans le tube, en une seule expiration.

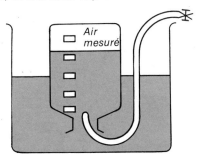

Air mesuré

4. Mesurez le volume d'air contenu dans le bocal, d'après les bandes adhésives. Il indique la capacité respiratoire des poumons. Variez vos expérimentations. Demandez par exemple à un ami de souffler après une course. Mesurez la capacité respiratoire des membres de votre famille.

## Pouvez-vous vous fier à vos yeux?

Les illusions d'optique sont étudiées par les psychologues, car elles fournissent des renseignements concernant l'interprétation des impressions visuelles par le cerveau. Voici quelques illusions d'optique à soumettre à vos amis.

△ Les lignes bleues sont-elles courbes ou droites? Vérifiez avec une règle.

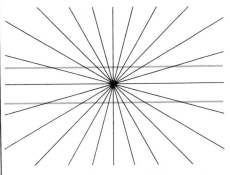

△ Tenez ce dessin à bout de bras. A mi-distance du livre et de vos yeux, tenez verticalement un crayon. Fixez-le du regard. Est-ce que l'oiseau pénètre dans la cage?

▽ Regardez fixement le centre. L'image bouge-t-elle?

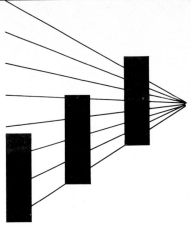

△ Quelle est la plus grande des trois colonnes? Vérifiez en mesurant les hauteurs. Les lignes convergentes produisent une illusion de distance: elles suggèrent que la colonne de droite est plus éloignée.

▽ Faut-il voir ce dessin par le haut ou par le bas? Est-ce la vision d'un gratte-ciel par un oiseau, ou celle d'un escalier par un cheval? Peut-être avez-vous alternativement les deux impressions. Elles proviennent donc de votre cerveau et non de vos yeux, puisque ceux-ci voient un seul et même dessin!

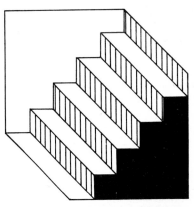

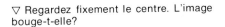

# Glossaire des termes techniques

**A.D.N. :** acide désoxyribonucléique, substance chimique complexe constituant les gènes et transmettant le code héréditaire des cellules.

**Adolescence :** période de la vie pendant laquelle le corps de l'enfant évolue graduellement pour devenir celui d'un adulte. Cette croissance s'échelonne entre 11 et 18 ans.

**Amidon :** substance chimique complexe de la catégorie des hydrates de carbone. Joue un rôle important dans l'alimentation : on le trouve dans le pain, les pommes de terre, le riz, les céréales.

**Amygdales :** organes situés de chaque côté de la gorge. Ils contiennent un grand nombre de globules blancs et interviennent sans doute dans l'élimination des microbes.

**Artère :** vaisseau qui conduit le sang à partir du cœur vers toutes les parties de l'organisme. Les artères pulmonaires exceptées, toutes les artères contiennent du sang rouge oxygéné dans le poumon.

**Caillot :** masse rougeâtre provenant de la coagulation du sang, en cas de blessure d'un vaisseau sanguin. Sa formation permet d'entraver l'hémorragie.

**Capillaires :** les plus petits vaisseaux sanguins, servant d'intermédiaires entre les artères et les veines.

**Cellulaire (division) :** processus par lequel une cellule donne naissance, par division, à deux autres cellules plus petites.

**Cellule :** unité vivante de base constituant tout organisme animal ou végétal.

**Chromosomes :** minuscules filaments contenus dans le noyau de chaque cellule. Ils portent les gènes, qui assurent la transmission des caractères héréditaires.

**Cœur :** organe musculaire creux qui assure la circulation du sang dans tout le corps. Il peut se comparer à une pompe.

**Diaphragme :** muscle large et mince qui sépare le thorax de l'abdomen. Il joue un rôle important dans la respiration.

**Digestion :** processus chimique par lequel la nourriture ingurgitée est réduite en substances solubles dans le sang.

**Embryon :** forme initiale du développement des êtres vivants, après la fécondation de l'œuf. Ce terme est utilisé pour l'être humain pendant les trois premiers mois de sa vie.

**Enzyme :** substance chimique complexe produite par l'organisme et qui accélère certaines transformations chimiques se produisant dans le corps, par exemple au cours de la digestion.

**Épine dorsale :** synonyme de colonne vertébrale, structure osseuse articulée du centre du dos.

**Estomac :** réservoir à paroi musculaire, où la nourriture est partiellement digérée avant son passage dans l'intestin. Il est situé directement sous le diaphragme, du côté gauche du corps.

**Excrétion :** processus par lequel les déchets sont expulsés du corps. A strictement parler, le terme désigne l'élimination de l'urine par les reins, du gaz carbonique par les poumons, et de la sueur par la peau. L'expulsion des matières fécales par l'intestin s'appelle défécation.

**Fécondation :** union d'un ovule et d'un spermatozoïde, constituant un nouvel être vivant.

**Fœtus :** après trois mois, l'embryon humain commence à reproduire les formes générales d'un adulte. Il prend alors le nom de fœtus qu'il gardera jusqu'à la naissance.

**Foie :** organe essentiel, le « chimiste » de l'organisme. Il stocke les substances nutritives et contrôle leur passage dans le sang, il élimine des substances toxiques et produit des sucs digestifs.

**Gaz carbonique :** ce gaz est produit par l'activité des cellules qui utilisent l'énergie des aliments, et est rejeté par la respiration.

**Gènes :** éléments contenus dans les chromosomes du noyau cellulaire, porteurs du code héréditaire. Les gènes des ovules et des spermatozoïdes s'associent de façons diverses et assurent la transmission des caractères héréditaires.

**Glandes génitales :** ce sont les ovaires chez la femme, les testicules chez l'homme. Elles sécrètent des hormones et produisent les cellules chargées de la reproduction.

**Glucides :** autre appellation des hydrates de carbone.

**Graisses :** une classe d'aliments producteurs d'énergie. Leur structure chimique est très différente de celle des hydrates de carbone, l'autre classe d'aliments énergétiques.

**Hémoglobine :** substance chimique contenue dans les globules rouges du sang et qui assure le transport de l'oxygène vers les cellules et du gaz carbonique vers les poumons.

**Hormones :** substances chimiques sécrétées par certaines glandes et déversées dans le sang, qui vont exciter l'action d'autres organes. Elles jouent un rôle essentiel dans la croissance.

**Hydrates de carbone :** classe d'aliments fournissant de l'énergie : par exemple, le sucre, l'amidon. Ils sont aussi appelés glucides.

**Impulsions nerveuses :** forme codée de transmission des messages par les nerfs.

**Intestin :** un long tube dans lequel la nourriture est digérée et absorbée. Il est constitué de l'intestin grêle et du gros intestin. L'intestin grêle se déroule de l'estomac jusqu'à proximité de l'appendice; il mesure environ 6 m (20′) de long; la partie proche de l'estomac est appelée duodénum. Le gros intestin unit l'extrémité de l'intestin grêle à l'anus; la première partie est appelée le côlon, et son extrémité le rectum.

**Lymphatiques (vaisseaux) :** vaisseaux par lesquels s'écoule la lymphe. Deux gros vaisseaux se déversent dans le sang veineux, près du cœur.

**Lymphe :** liquide clair qui environne les cellules. Il est semblable au sang, sauf qu'il ne contient aucun globule rouge, et il transporte les graisses absorbées.

**Matrice :** organe musculaire féminin, en forme de poche, où le fœtus grandit jusqu'à la naissance.

**Mitochondrie :** élément présent dans chaque cellule et qui lui fournit l'énergie puisée dans la nourriture.

**Moelle épinière :** le plus important cordon nerveux du corps, situé dans la colonne vertébrale.

**Muscle :** organe composé de fibres et jouissant de la propriété de se contracter sous l'influence d'une impulsion nerveuse, et de produire ainsi les mouvements. Les muscles striés s'attachent généralement aux os et provoquent les mouvements du squelette, sous la dépendance de la volonté. Les muscles lisses se trouvent dans les parois de l'intestin, des artères, etc.; leurs contractions sont plus lentes et involontaires. Le cœur est un muscle strié qui n'obéit pas à la volonté.

**Nerfs :** cordons blancs constitués par la réunion de plusieurs fibres nerveuses. Ils servent à transmettre des messages sous forme d'influx nerveux : informations sensorielles vers les centres coordinateurs, et réponses motrices vers les muscles.

**Noyau :** partie de la cellule qui contient les chromosomes et les gènes.

**Œuf :** en biologie humaine, ce terme désigne la cellule sexuelle femelle (ovule), produite par l'ovaire. Quand elle est fécondée par un spermatozoïde, elle se développe en embryon.

**Organe :** partie d'un corps vivant qui assume une fonction distincte au service de tout l'organisme, par exemple l'estomac, le foie, le cerveau.

**Ovaires :** organes femelles de la reproduction où se forment les ovules.

**Oxygène :** gaz contenu dans l'air, inhalé par les poumons et transporté par les globules rouges du sang. Il permet aux cellules de retirer l'énergie des substances nutritives.

**Pénis :** organe génital mâle, utilisé d'une part pour l'expulsion de l'urine, et d'autre part pour l'éjaculation du sperme lors de l'accouplement.

**Pigment :** substance chimique colorée, par exemple l'hémoglobine dans les globules rouges, ou la mélanine dans les peaux brunes ou noires.

**Placenta :** organe produit par l'utérus de la femme enceinte, par où s'effectuent les échanges de nourriture et d'oxygène entre l'organisme maternel et le fœtus, ainsi que l'évacuation des déchets.

**Poumons :** organes élastiques de la respiration, constitués de conduits et d'alvéoles, par où l'oxygène de l'air est absorbé dans le sang, et le gaz carbonique du sang évacué.

**Protéines :** substances chimiques nutritives très importantes, car elles constituent la principale matière dont sont faites les cellules. Indispensables lors de la croissance et de la guérison.

**Puberté :** époque de l'adolescence pendant laquelle les glandes génitales deviennent capables de fonctionner. A ce moment, les filles ont leurs premières règles.

**Rate :** glande de couleur rouge sombre, située sous le diaphragme. Elle contribue à la production des globules blancs du sang et à la destruction des globules rouges usés.

**Reins :** deux organes situés de part et d'autre de la colonne vertébrale, qui purifient le sang et sécrètent l'urine.

**Respiration cellulaire :** processus par lequel les cellules utilisent l'énergie des aliments, en absorbant de l'oxygène et en rejetant du gaz carbonique.

**Spermatozoïdes :** cellules sexuelles mâles produites par les testicules et constituant l'élément essentiel du sperme.

**Stimulus :** tout excitant, d'origine externe ou interne, qui est perçu et qui provoque une réaction de l'organisme. Une sensation, un ordre du cerveau, une hormone sont des stimuli.

**Sucre :** substance chimique de constitution assez simple, faisant partie des hydrates de carbone. Il y a plusieurs espèces de sucres, notamment le sucre de betterave ou de canne (saccharose) utilisé en cuisine et en confiserie, et un sucre très simple, le glucose, présent dans le sang et utilisé par les cellules.

**Testicules :** glandes génitales masculines produisant les spermatozoïdes.

**Tissu :** ensemble de cellules, généralement semblables, qui font partie d'un organe.

**Vagin :** conduit de l'appareil génital féminin, par où l'homme introduit son pénis lors de l'accouplement, et par où passe l'enfant nouveau-né au terme de la grossesse.

**Vaisseau sanguin :** terme général désignant les conduits par où passe le sang : artères, veines et capillaires.

**Veine :** vaisseau par lequel le sang retourne au cœur. Si l'on excepte les veines pulmonaires, le sang contenu dans les veines est pauvre en oxygène.

**Vessie :** réservoir membraneux dans lequel l'urine s'accumule avant d'être expulsée du corps.

# Index